La Légende de saint Julien l'Hospitalier

ÉTONNANTS • CLASSIQUES

FLAUBERT

La Légende de saint Julien l'Hospitalier

Présentation, notes, chronologie et dossier par
PATRICE KLEFF,
professeur de lettres

Flammarion

Du même auteur,
dans la même collection

Madame Bovary

Un cœur simple

Édition revue, 2006.
ISBN : 978-2-0807-2274-4
ISSN : 1269-8822

SOMMAIRE

■ **Présentation** 5
Un écrivain fatigué 5
Flaubert le perfectionniste 6
L'hagiographie 7
Le Moyen Âge vu par le XIXe siècle 9
Le plaisir du conte 10
L'accueil critique 11

■ **Chronologie** 13

La Légende de saint Julien l'Hospitalier

Chapitre I 23
Chapitre II 40
Chapitre III 54

■ **Le « vitrail aux poissons »** 63

■ **Dossier** 67

PRÉSENTATION

Un écrivain fatigué

Lorsque, à la fin de l'année 1875, Gustave Flaubert entreprend d'écrire *La Légende de saint Julien l'Hospitalier*, il se sent au bout du rouleau. Ce n'est pas qu'il soit très âgé – il s'apprête à fêter ses 54 ans –, mais divers soucis le tracassent. L'argent, dont il n'a jamais manqué depuis qu'il a hérité de son père, lui fait défaut : sa crainte principale est de devoir vendre la maison familiale de Croisset, près de Rouen, où il a vécu plus de trente ans. Il envisage même d'accepter un emploi de bibliothécaire, lui qui, n'ayant jamais eu à travailler pour gagner sa vie, a jusqu'alors consacré tout son temps à la littérature.

Autre souci : la santé. La sienne, qui décline, et surtout celle de ses proches. En trois ans, il a perdu sa mère et plusieurs amis, et ce n'est pas sans inquiétude qu'il voit vieillir certains de ses compagnons les plus intimes, dont l'écrivain George Sand, qui mourra d'ailleurs en 1876. Certes, de plus jeunes l'entourent : sa nièce Caroline, qu'il a élevée comme sa propre fille, et surtout Guy de Maupassant, neveu d'un ami de jeunesse, dont il guidera les débuts littéraires. Mais malgré ces présences réconfortantes, Flaubert broie du noir.

Toutefois, si son moral est au plus bas, c'est sans doute pour une troisième raison, plus grave encore que les deux précédentes. Flaubert, qui a voué toute sa vie à ses livres, n'écrit plus. Depuis 1851, date à laquelle il avait commencé à écrire *Madame Bovary*, cela ne lui était pas arrivé. Bien sûr, chacun de ses livres lui avait demandé plusieurs années de travail acharné, et le succès n'avait pas toujours été au rendez-vous : ses deux premiers romans publiés, *Madame Bovary* et *Salammbô*, avaient été accueillis triomphalement, tandis que les deux œuvres suivantes, *L'Éducation sentimentale* et *La Tentation de saint Antoine*, avaient été moins bien reçues. Mais c'est surtout son dernier roman, *Bouvard et Pécuchet*, commencé en 1874, qui l'inquiète : Flaubert se sent incapable de le mener à bien et s'effraie de l'énormité du travail de documentation qu'il doit accomplir.

Flaubert le perfectionniste

Il faut dire que pour chacun de ses romans, Flaubert a lu et annoté des centaines de livres. Au total, ce travail de recherche et de documentation représente plusieurs milliers de pages accumulées tout au long de sa vie, sans parler des repérages sur le terrain effectués à Paris, en Normandie, et même en Orient. Flaubert est un travailleur acharné, capable de s'enfermer des mois d'affilée dans sa bibliothèque de Croisset pour y lire et écrire jusqu'à dix-huit heures par jour.

Mais si cet « ours » ou cet « ermite », comme il se décrit lui-même dans sa correspondance, a besoin de tant travailler pour écrire, c'est qu'il est avant tout un extraordinaire perfectionniste. Pas un détail historique ou géographique qui n'ait été vérifié et contre-vérifié ; pas une scène de roman qui n'ait été soigneusement composée et intégrée à un plan minutieux ; pas une phrase qui n'ait passé l'épreuve du « gueuloir » – lecture à voix haute devant un public d'amis connaisseurs – afin de détecter les plus petites imperfections telles que répétitions, assonances [1], hiatus [2], virgules mal placées...

On comprend donc le découragement de Flaubert quand, rongé par les soucis, il ne se sent pas la force de travailler à *Bouvard et Pécuchet*. Mais plutôt que de se laisser aller, il décide de reprendre un très vieux projet, pour lequel il possède déjà une documentation complète : écrire, sous forme de nouvelle, la vie de saint Julien l'Hospitalier.

L'hagiographie

Cette vie de saint Julien, Flaubert la connaît depuis que, très jeune, il l'avait vue peinte sur un vitrail de la cathédrale de Rouen. En décidant de l'écrire, il renoue avec un genre très ancien, pratiqué depuis le Moyen Âge : l'hagiographie. Comme l'indique son étymologie – en grec, *hagios* = saint et *graphein* = écrire –, ce type de récit consiste à écrire la vie d'un saint chrétien. Le plus célèbre recueil de vies de saints, que Flaubert connaît parfaitement, s'intitule *La Légende dorée* et a été écrit vers 1264 par un moine dominicain, Jacques de Voragine [3]. Au XIXe siècle, on publie encore régulièrement de ces recueils édifiants visant à montrer la grandeur de la religion face aux persécutions : saint Denis, décapité, qui porta sa tête de Montmartre à Saint-Denis ; saint Sébastien, percé de flèches ; ou saint Laurent, brûlé vif, figurent parmi les martyrs les plus célèbres du christianisme ; d'autres

1. *Assonances* : répétitions de sonorités identiques.
2. *Hiatus* : successions de deux voyelles, phonétiquement maladroites (il all*a à* l'école).
3. *Jacques de Voragine* : voir aussi le dossier, p. 74-77.

saints, s'ils échappèrent au supplice, fournissent néanmoins aux croyants des exemples de vies chrétiennes, comme sainte Marthe, qui dompta la tarasque[1], ou saint Antoine, qui vécut dans la pauvreté volontaire.

Or, précisément, Flaubert n'est pas croyant. Bien qu'il ne se présente jamais comme athée[2], son abondante correspondance montre à l'évidence qu'il ne possède pas la foi chrétienne. On peut donc se demander pourquoi il décide de se lancer dans un récit religieux où intervient le Christ en personne, si ce n'est pas pour faire l'apologie[3] du christianisme.

Peut-être l'explication se trouve-t-elle dans la forme même du récit hagiographique : en effet, celui-ci présente des personnages dont la vie est en quelque sorte manipulée par Dieu. Les saints ne sont pas libres de choisir leur destinée ; une force supérieure les pousse à agir. Ils vivent dans un monde clos, comme des poissons dans un bocal, puisqu'ils doivent, quoi qu'ils fassent, accomplir la volonté divine. Pour un perfectionniste comme Flaubert, ce type de personnage est idéal, dans la mesure où il permet à l'auteur de construire une histoire parfaitement cohérente, où chaque détail, chaque mot pèse sur le récit : bref, une histoire où l'auteur, comme Dieu, contrôle totalement sa création.

1. *Tarasque* : sorte de dragon aquatique qu'on rencontre dans les légendes du sud de la France.
2. *Athée* : qui ne croit pas en Dieu.
3. *Apologie* : éloge.

Le Moyen Âge vu par le XIXe siècle

Si l'intérêt de *La Légende de saint Julien l'Hospitalier* n'est pas religieux, peut-être est-il historique ? Dans sa nouvelle, Flaubert reconstitue en effet avec minutie le haut Moyen Âge, époque à laquelle est censé avoir vécu son héros. Le vocabulaire médiéval ne manque pas, en particulier pour décrire le château où Julien passe son enfance[1].

Cette reconstitution du Moyen Âge est courante au XIXe siècle, en particulier depuis le romantisme[2]. L'écrivain écossais Walter Scott (1771-1832) a connu un immense succès avec ses romans médiévaux, *Quentin Durward* et surtout *Ivanhoé*. Victor Hugo a cherché à rendre la « couleur locale » de Paris au XVe siècle dans *Notre-Dame de Paris*. Quant à l'architecte Eugène-Emmanuel Viollet-le-Duc (1814-1879), il a restauré de nombreux édifices médiévaux, des églises parisiennes à la cité de Carcassonne en passant par le château de Pierrefonds dans l'Oise.

Fidèle à sa méthode, Flaubert s'est appuyé sur des sources fiables pour recréer l'atmosphère médiévale de son récit. Ainsi, pour écrire les scènes de chasse, a-t-il lu des ouvrages spécialisés dont certains ont été écrits au Moyen Âge : nul doute que la meute de Julien ou son équipement sont conformes à la réalité historique ! Mais, à y regarder de plus près, *La Légende de saint Julien l'Hospitalier* est loin d'être une nouvelle historique. En

---

1. Pour le vocabulaire médiéval et la description du château, voir aussi les exercices du dossier, p. 70.
2. ***Romantisme*** : mouvement littéraire qui, au début du XIXe siècle, gagna toute l'Europe. En France, Victor Hugo fut son principal représentant.

effet, le récit des exploits guerriers de Julien n'est guère vraisemblable. Les Troglodytes et les Anthropophages qu'il combat, de même que la guivre[1] et le dragon qu'il tue, n'appartiennent pas à l'Histoire, mais à la Légende. Cependant, pour les géographes du Moyen Âge, de telles créatures existaient réellement au-delà des mers. Cette croyance, qui peut aujourd'hui nous sembler naïve, reposait à l'époque sur deux fondements : d'une part, le monde était mal connu et n'avait pas été entièrement exploré, exception faite des croisades en Orient (XIe-XIIIe siècle) et des voyages de Marco Polo en Chine (XIIIe siècle) ; d'autre part, on estimait que Dieu, dans sa toute-puissance, avait pu créer à sa fantaisie toutes sortes de créatures fantastiques. C'est ainsi que l'on trouve, tant dans les hagiographies que dans les récits de voyage ou dans les illustrations de l'époque, des allusions aux dragons, serpents de mer, cyclopes, cynocéphales[2], et autres acéphales[3]. Flaubert adopte le point de vue de ces conteurs et géographes du Moyen Âge pour donner à son récit une atmosphère de récit médiéval peuplé d'êtres surnaturels et de miracles, et privilégier ce que l'on appelle le *merveilleux chrétien*.

Le plaisir du conte

Ni hagiographie, ni récit historique, *La Légende de saint Julien l'Hospitalier* est avant tout, et peut-être uniquement, un conte. Ce n'est d'ailleurs pas pour rien que Flaubert l'a publiée, en

1. *Guivre* : serpent aux pouvoirs surnaturels.
2. *Cynocéphales* : dans les croyances anciennes, hommes à tête de chien.
3. *Acéphales* : dans les croyances anciennes, hommes ayant la tête au milieu du corps.

compagnie de deux autres nouvelles[1], dans un recueil simplement intitulé *Trois Contes*. Un conte, c'est-à-dire un récit conçu pour le plaisir d'être dit et entendu ; un récit dans lequel un héros, à travers une série d'épreuves, parvient à un but au départ inaccessible ; un récit enfin grâce auquel le lecteur ou l'auditeur se trouve renvoyé à sa propre imagination, à ses propres rêves. Car ce que l'on retient de *La Légende de saint Julien l'Hospitalier* n'est pas forcément lié au contexte historique ou religieux qu'elle utilise : ce sera plutôt, selon le goût de chacun, de sanglantes scènes de chasse, un palais digne des *Mille et Une Nuits*, ou l'effrayante apparition d'un lépreux à l'agonie... Ici, le récit rejoint son point de départ, à savoir le vitrail dont le narrateur affirme, dans la dernière phrase, qu'il est à l'origine de son conte : « Et voilà l'histoire de saint Julien l'Hospitalier, telle à peu près qu'on la trouve, sur un vitrail d'église, dans mon pays. » Comme un vitrail – ce lointain ancêtre de la bande dessinée –, le conte de Flaubert est fait d'images juxtaposées dont chacune possède sa propre force et qui, mises bout à bout, constituent une véritable histoire.

L'accueil critique

Les *Trois Contes* sont dans l'ensemble bien reçus par la critique et par le public à leur parution, en 1877. Le travail du style, auquel Flaubert était si attaché, y est particulièrement apprécié. Outre Maupassant, de jeunes écrivains comme Émile Zola ne cachent pas leur admiration pour celui qu'ils considèrent comme

1. *Un cœur simple* et *Hérodias*.

un maître. Même si les soucis de santé et d'argent persistent, cette confiance retrouvée permet à Flaubert de reprendre sa tâche essentielle, *Bouvard et Pécuchet*, à laquelle il travaille sans relâche à partir de 1877. Travail malheureusement inachevé : le 8 mai 1880, dans sa bibliothèque, Gustave Flaubert est frappé d'une hémorragie cérébrale et meurt en quelques heures, au milieu de ses livres et de ses manuscrits.

CHRONOLOGIE

1821 1880

1821 1880

- Repères historiques et culturels
- Vie et œuvre de l'auteur

Repères historiques et culturels

1821	Mort de Napoléon Ier. Naissance de Charles Baudelaire.
1823	Nicéphore Niépce invente la photographie.
1824	Charles X succède à Louis XVIII.
1830	Stendhal, *Le Rouge et le Noir*.
1833	Balzac, *Eugénie Grandet*.
1835	Mérimée, *La Vénus d'Ille*.
1843	George Sand, *Consuelo*.
1846	Courbet peint *L'Homme à la pipe*.
1848	Abdication de Louis-Philippe et proclamation de la IIe République le 24 février ; élection de Louis-Napoléon Bonaparte à la présidence de la République en décembre.

Vie et œuvre de l'auteur

1821 Naissance de Gustave Flaubert le 12 décembre à Rouen.

1835 Premiers écrits ; découverte de l'histoire de saint Julien au cours d'un voyage à travers la Normandie.

1837 Premières publications dans une revue rouennaise.

1838 *Mémoires d'un fou*, œuvre autobiographique.

1840 Baccalauréat.

1843 Après deux années de droit, décision d'abandonner les études et de devenir écrivain.

1844 Grave crise nerveuse.

1846 Mort du père (janvier) et de la sœur cadette (mars) ; Flaubert s'installe à Croisset, dans la campagne normande, avec sa mère et sa nièce Caroline, qu'il élèvera.

1848 Mort d'Alfred Le Poittevin, meilleur ami de Flaubert.

Repères historiques et culturels

1850 Mort de Balzac.

1851 Coup d'État du 2 décembre ; exil de Victor Hugo.

1852 Le 2 décembre, le président Louis-Napoléon devient l'empereur Napoléon III.

1854 Nerval, *Les Filles du feu*.

1856 Grands travaux haussmanniens dans Paris.

1857 Baudelaire, *Les Fleurs du mal* : condamnation du poète pour outrage aux bonnes mœurs.

1858 Tourgueniev, *Scènes de la vie russe*.

1862 Hugo, *Les Misérables*.

1865 Offenbach compose *La Belle Hélène*.

Vie et œuvre de l'auteur

1849 Long voyage en Orient (Égypte, Palestine, Grèce) avec un ami écrivain et journaliste, Maxime Du Camp.

1851 Retour en France ; début de la rédaction de *Madame Bovary*.

1853 Flaubert aide Victor Hugo, alors exilé, à faire passer des lettres en France.

1856 Achèvement et publication de *Madame Bovary* ; Flaubert partage désormais son temps entre Croisset et Paris.

1857 Flaubert est poursuivi en justice pour outrage aux bonnes mœurs et à la religion dans *Madame Bovary* ; acquittement et gros succès de librairie. Il commence à écrire *Salammbô*.

1862 Après cinq ans de travail, *Salammbô* est achevé ; succès considérable.

1863 Écrivain connu, Flaubert mène une vie mondaine et noue des amitiés dans le monde littéraire ; début d'une longue correspondance avec George Sand et avec l'écrivain russe Tourgueniev.

1864 Il commence à écrire son troisième grand roman, *L'Éducation sentimentale*.

Repères historiques et culturels

1866 Invention de la photographie en couleurs.
Alphonse Daudet, *Les Lettres de mon moulin*.

1870 Émile Zola, *La Fortune des Rougon*.
Guerre contre la Prusse ; la France capitule le 27 octobre à Metz.

1871 Commune de Paris du 18 mars au 27 mai ;
répression sanglante.

1872 Mort de Théophile Gautier.

1873 Jules Verne, *L'Île mystérieuse*.

1876 Mort de George Sand.

1877 Invention du phonographe par Thomas Edison et Charles Cros (séparément).
Zola, *L'Assommoir*.

1879 Jules Vallès, *L'Enfant*.

1880 Maupassant, *Boule de suif*.

Vie et œuvre de l'auteur

1869 Fin de *L'Éducation sentimentale* ; succès médiocre.

1870 Durant la guerre, Flaubert est lieutenant dans la Garde nationale.

1872 Mort de la mère ; rencontre de Guy de Maupassant, neveu de son ami Le Poittevin, dont il guide les débuts littéraires.

1874 Publication de *La Tentation de saint Antoine*, à laquelle Flaubert travaille par intermittence depuis 1839 : échec public et critique. Début d'un nouveau projet de roman, *Bouvard et Pécuchet*, qui nécessite un travail de recherche énorme. Cure en Suisse après des problèmes de santé.

1875 Graves soucis financiers et personnels ; Flaubert voyage à Concarneau où il commence à écrire *La Légende de saint Julien l'Hospitalier*.

1877 *Hérodias* ; regroupement de trois nouvelles dans un recueil : *Trois Contes*.
Flaubert renoue avec le succès et se remet à *Bouvard et Pécuchet*.

1880 Flaubert meurt d'une hémorragie cérébrale le 8 mai à Croisset, sans avoir pu achever *Bouvard et Pécuchet* qui sera publié en 1881.

La Légende de saint Julien l'Hospitalier

I

Le père et la mère de Julien habitaient un château, au milieu des bois, sur la pente d'une colline.

Les quatre tours aux angles avaient des toits pointus recouverts d'écailles de plomb, et la base des murs s'appuyait sur les quartiers 5 de rocs, qui dévalaient abruptement jusqu'au fond des douves [1].

Les pavés de la cour étaient nets comme le dallage d'une église. De longues gouttières, figurant des dragons la gueule en bas, crachaient l'eau des pluies vers la citerne ; et sur le bord des fenêtres, à tous les étages, dans un pot d'argile peinte, un basilic [2] ou un 10 héliotrope [3] s'épanouissait.

Une seconde enceinte, faite de pieux, comprenait d'abord un verger d'arbres à fruits, ensuite un parterre où des combinaisons de fleurs dessinaient des chiffres, puis une treille avec des berceaux [4] pour prendre le frais, et un jeu de mail [5] qui servait au 15 divertissement des pages. De l'autre côté se trouvaient le chenil, les écuries, la boulangerie, le pressoir [6] et les granges. Un pâturage de gazon vert se développait tout autour, enclos lui-même d'une forte haie d'épines.

---

1. ***Douves*** : fossés remplis d'eau qui entourent les châteaux forts.
2. ***Basilic*** : plante aromatique.
3. ***Héliotrope*** : plante dont les feuilles se tournent vers le soleil.
4. ***Une treille avec des berceaux*** : une vigne formant une tonnelle.
5. ***Mail*** : jeu de croquet.
6. ***Pressoir*** : machine servant à presser le raisin.

On vivait en paix depuis si longtemps que la herse[1] ne s'abaissait plus ; les fossés étaient pleins d'herbes ; des hirondelles faisaient leur nid dans la fente des créneaux ; et l'archer, qui tout le long du jour se promenait sur la courtine[2], dès que le soleil brillait trop fort rentrait dans l'échauguette[3], et s'endormait comme un moine.

À l'intérieur, les ferrures partout reluisaient ; des tapisseries dans les chambres protégeaient du froid ; et les armoires regorgeaient de linge, les tonnes[4] de vin s'empilaient dans les celliers[5], les coffres de chêne craquaient sous le poids des sacs d'argent.

On voyait dans la salle d'armes, entre des étendards et des mufles de bêtes fauves, des armes de tous les temps et de toutes les nations, depuis les frondes des Amalécites[6] et les javelots des Garamantes[7] jusqu'aux braquemarts[8] des Sarrasins[9] et aux cottes de mailles des Normands.

La maîtresse broche de la cuisine pouvait faire tourner un bœuf ; la chapelle était somptueuse comme l'oratoire[10] d'un roi. Il y avait même, dans un endroit écarté, une étuve[11] à la romaine ; mais le bon seigneur s'en privait, estimant que c'est un usage des idolâtres[12].

---

1. ***Herse*** : grille à l'entrée d'un château fort.
2. ***Courtine*** : mur entre deux tours d'un château fort.
3. ***Échauguette*** : abri de pierre aux angles des remparts.
4. ***Tonnes*** : tonneaux.
5. ***Celliers*** : caves à vin.
6. ***Amalécites*** : peuple antique du Moyen-Orient.
7. ***Garamantes*** : peuple antique de l'Afrique occidentale.
8. ***Braquemarts*** : épées à deux mains.
9. ***Sarrasins*** : musulmans.
10. ***Oratoire*** : petite chapelle.
11. ***Étuve*** : bain de vapeur.
12. ***Idolâtres*** : païens, non chrétiens.

40 Toujours enveloppé d'une pelisse[1] de renard, il se promenait dans sa maison, rendait la justice à ses vassaux[2], apaisait les querelles de ses voisins. Pendant l'hiver, il regardait les flocons de neige tomber, ou se faisait lire des histoires. Dès les premiers beaux jours, il s'en allait sur sa mule le long des petits chemins,
45 au bord des blés qui verdoyaient, et causait avec les manants[3], auxquels il donnait des conseils. Après beaucoup d'aventures, il avait pris pour femme une demoiselle de haut lignage.

Elle était très blanche, un peu fière et sérieuse. Les cornes de son hennin[4] frôlaient le linteau[5] des portes, la queue de sa robe
50 de drap traînait de trois pas derrière elle. Son domestique[6] était réglé comme l'intérieur d'un monastère ; chaque matin elle distribuait la besogne à ses servantes, surveillait les confitures et les onguents[7], filait à la quenouille ou brodait des nappes d'autel[8]. À force de prier Dieu, il lui vint un fils.

55 Alors il y eut de grandes réjouissances, et un repas qui dura trois jours et quatre nuits, dans l'illumination des flambeaux, au son des harpes, sur des jonchées de feuillages. On y mangea les plus rares épices, avec des poules grosses comme des moutons ; par divertissement, un nain sortit d'un pâté ; et, les écuelles ne
60 suffisant plus, car la foule augmentait toujours, on fut obligé de boire dans les oliphants[9] et dans les casques.

---

1. ***Pelisse*** : manteau doublé de fourrure.
2. ***Vassaux*** (sing. : *vassal*) : au Moyen Âge, hommes ayant juré fidélité à un seigneur en échange d'une terre.
3. ***Manants*** : paysans.
4. ***Hennin*** : haute coiffure de forme conique portée par les femmes au Moyen Âge.
5. ***Linteau*** : poutre horizontale soutenant une porte.
6. ***Domestique*** : ici, au masculin, organisation de la vie dans une maison.
7. ***Onguents*** : pommades.
8. ***Autel*** : table d'église sur laquelle on célèbre la messe.
9. ***Oliphants*** : cors taillés dans de l'ivoire.

La nouvelle accouchée n'assista pas à ces fêtes. Elle se tenait dans son lit, tranquillement. Un soir, elle se réveilla, et elle aperçut, sous un rayon de la lune qui entrait par la fenêtre, 65 comme une ombre mouvante. C'était un vieillard en froc de bure[1], avec un chapelet[2] au côté, une besace[3] sur l'épaule, toute l'apparence d'un ermite. Il s'approcha de son chevet et lui dit, sans desserrer les lèvres :

« Réjouis-toi, ô mère ! Ton fils sera un saint ! »

70 Elle allait crier ; mais, glissant sur le rai de la lune, il s'éleva dans l'air doucement, puis disparut. Les chants du banquet éclatèrent plus fort. Elle entendit les voix des anges ; et sa tête retomba sur l'oreiller, que dominait un os de martyr dans un cadre d'escarboucles[4].

75 Le lendemain, tous les serviteurs interrogés déclarèrent qu'ils n'avaient pas vu d'ermite. Songe ou réalité, cela devait être une communication du ciel ; mais elle eut soin de n'en rien dire, ayant peur qu'on ne l'accusât d'orgueil.

Les convives s'en allèrent au petit jour ; et le père de Julien se 80 trouvait en dehors de la poterne[5], où il venait de reconduire le dernier, quand tout à coup un mendiant se dressa devant lui, dans le brouillard. C'était un Bohême à barbe tressée, avec des anneaux d'argent aux deux bras et les prunelles flamboyantes. Il bégaya d'un air inspiré ces mots sans suite :

85 « Ah ! ah ! ton fils !... beaucoup de sang !... beaucoup de gloire !... toujours heureux ! la famille d'un empereur. »

Et, se baissant pour ramasser son aumône, il se perdit dans l'herbe, s'évanouit.

---

1. ***Froc de bure*** : robe de tissu grossier.
2. ***Chapelet*** : objet religieux fait de graines enfilées sur une cordelette et que l'on fait glisser en récitant ses prières.
3. ***Besace*** : sacoche.
4. ***Escarboucles*** : pierres rouge vif.
5. ***Poterne*** : petite porte dans un mur d'enceinte.

Le bon châtelain regarda de droite et de gauche, appela tant qu'il put. Personne ! Le vent sifflait, les brumes du matin s'envolaient.

Il attribua cette vision à la fatigue de sa tête pour avoir trop peu dormi. « Si j'en parle, on se moquera de moi », se dit-il. Cependant les splendeurs destinées à son fils l'éblouissaient, bien que la promesse n'en fût pas claire et qu'il doutât même de l'avoir entendue.

Les époux se cachèrent leur secret. Mais tous deux chérissaient l'enfant d'un pareil amour ; et, le respectant comme marqué de Dieu, ils eurent pour sa personne des égards infinis. Sa couchette était rembourrée du plus fin duvet ; une lampe en forme de colombe brûlait dessus, continuellement ; trois nourrices le berçaient ; et, bien serré dans ses langes, la mine rose et les yeux bleus, avec son manteau de brocart[1] et son béguin[2] chargé de perles, il ressemblait à un petit Jésus. Les dents lui poussèrent sans qu'il pleurât une seule fois.

Quand il eut sept ans, sa mère lui apprit à chanter. Pour le rendre courageux, son père le hissa sur un gros cheval. L'enfant souriait d'aise, et ne tarda pas à savoir tout ce qui concerne les destriers[3].

Un vieux moine très savant lui enseigna l'Écriture sainte, la numération des Arabes, les lettres latines, et à faire sur le vélin[4] des peintures mignonnes. Ils travaillaient ensemble, tout en haut d'une tourelle, à l'écart du bruit.

La leçon terminée, ils descendaient dans le jardin, où, se promenant pas à pas, ils étudiaient les fleurs.

Quelquefois on apercevait, cheminant au fond de la vallée, une file de bêtes de somme, conduites par un piéton, accoutré à l'orientale. Le châtelain, qui l'avait reconnu pour un marchand,

---

1. ***Brocart*** : soie.
2. ***Béguin*** : bonnet d'enfant.
3. ***Destriers*** : chevaux de guerre ou de chasse.
4. ***Vélin*** : parchemin.

expédiait vers lui un valet. L'étranger, prenant confiance, se détournait de sa route ; et, introduit dans le parloir, il retirait de
120 ses coffres des pièces de velours et de soie, des orfèvreries, des aromates, des choses singulières d'un usage inconnu ; à la fin le bonhomme s'en allait, avec un gros profit sans avoir enduré aucune violence. D'autres fois, une troupe de pèlerins frappait à la porte. Leurs habits mouillés fumaient devant l'âtre [1] ; et, quand
125 ils étaient repus, ils racontaient leurs voyages : les erreurs des nefs [2] sur la mer écumeuse, les marches à pied dans les sables brûlants, la férocité des païens [3], les cavernes de la Syrie, la Crèche et le Sépulcre [4]. Puis ils donnaient au jeune seigneur des coquilles [5] de leur manteau.

130 Souvent le châtelain festoyait [6] ses vieux compagnons d'armes. Tout en buvant, ils se rappelaient leurs guerres, les assauts des forteresses avec le battement des machines et les prodigieuses blessures. Julien, qui les écoutait, en poussait des cris ; alors son père ne doutait pas qu'il ne fût plus tard un conquérant. Mais le soir, au
135 sortir de l'angélus [7], quand il passait entre les pauvres inclinés, il puisait dans son escarcelle [8] avec tant de modestie et d'un air si noble que sa mère comptait bien le voir par la suite archevêque.

Sa place dans la chapelle était aux côtés de ses parents ; et, si longs que fussent les offices, il restait à genoux sur son prie-Dieu [9],
140 la toque [10] par terre et les mains jointes.

---

1. ***Âtre*** : cheminée.
2. ***Nefs*** : bateaux.
3. ***Païens*** : non chrétiens.
4. ***La Crèche et le Sépulcre*** : respectivement le lieu de naissance et le tombeau du Christ.
5. ***Coquilles*** : symboles des pèlerins de Saint-Jacques-de-Compostelle.
6. ***Festoyait*** : invitait à un festin.
7. ***Angélus*** : prière du soir.
8. ***Escarcelle*** : bourse.
9. ***Prie-Dieu*** : siège d'église sur lequel on s'agenouille pour prier.
10. ***Toque*** : chapeau sans bords porté au Moyen Âge.

Un jour, pendant la messe, il aperçut, en relevant la tête, une petite souris blanche qui sortait d'un trou, dans la muraille. Elle trottina sur la première marche de l'autel[1], et, après deux ou trois tours de droite et de gauche, s'enfuit du même côté. Le dimanche 145 suivant, l'idée qu'il pourrait la revoir le troubla. Elle revint ; et chaque dimanche il l'attendait, en était importuné, fut pris de haine contre elle, et résolut de s'en défaire.

Ayant donc fermé la porte, et semé sur les marches les miettes d'un gâteau, il se posta devant le trou, une baguette à la main.

150 Au bout de très longtemps un museau rose parut, puis la souris tout entière. Il frappa un coup léger, et demeura stupéfait devant ce petit corps qui ne bougeait plus. Une goutte de sang tachait la dalle. Il l'essuya bien vite avec sa manche, jeta la souris dehors, et n'en dit rien à personne.

155 Toutes sortes d'oisillons picoraient les graines du jardin. Il imagina de mettre des pois dans un roseau creux. Quand il entendait gazouiller dans un arbre, il en approchait avec douceur, puis levait son tube, enflait ses joues, et les bestioles lui pleuvaient sur les épaules si abondamment qu'il ne pouvait 160 s'empêcher de rire, heureux de sa malice[2].

Un matin, comme il s'en retournait par la courtine[3], il vit sur la crête du rempart un gros pigeon qui se rengorgeait au soleil. Julien s'arrêta pour le regarder ; le mur en cet endroit ayant une brèche, un éclat de pierre se rencontra sous ses doigts. Il tourna son bras, 165 et la pierre abattit l'oiseau qui tomba d'un bloc dans le fossé.

Il se précipita vers le fond, se déchirant aux broussailles, furetant partout, plus leste qu'un jeune chien.

Le pigeon, les ailes cassées, palpitait, suspendu dans les branches d'un troène.

---

1. ***Autel*** : voir note 8, p. 25.
2. ***Malice*** : méchanceté.
3. ***Courtine*** : voir note 2, p. 24.

170 La persistance de sa vie irrita l'enfant. Il se mit à l'étrangler; et les convulsions de l'oiseau faisaient battre son cœur, l'emplissaient d'une volupté sauvage et tumultueuse. Au dernier raidissement, il se sentit défaillir.

Le soir, pendant le souper, son père déclara que l'on devait à 175 son âge apprendre la vénerie[1]; et il alla chercher un vieux cahier d'écriture contenant, par demandes et réponses, tout le déduit[2] des chasses. Un maître y démontrait à son élève l'art de dresser les chiens et d'affaîter[3] les faucons, de tendre les pièges, comment reconnaître le cerf à ses fumées[4], le renard à ses empreintes, 180 le loup à ses déchaussures[5], le bon moyen de discerner leurs voies, de quelle manière on les lance[6], où se trouvent ordinairement leurs refuges, quels sont les vents les plus propices, avec l'énumération des cris et les règles de la curée[7].

Quand Julien put réciter par cœur toutes ces choses, son père 185 lui composa une meute[8].

D'abord on y distinguait vingt-quatre lévriers barbaresques[9], plus véloces que des gazelles, mais sujets à s'emporter; puis dix-sept couples de chiens bretons, tiquetés de blanc sur fond rouge, inébranlables dans leur créance[10], forts de poitrine et 190 grands hurleurs. Pour l'attaque du sanglier et les refuites[11] périlleuses, il y avait quarante griffons[12], poilus comme des ours.

1. ***Vénerie*** : art de la chasse à courre.
2. ***Déduit*** : divertissement.
3. ***Affaîter*** : dresser.
4. ***Fumées*** : excréments.
5. ***Déchaussures*** : traces de pattes.
6. ***On les lance*** : on les chasse hors de leur refuge.
7. ***Curée*** : moment de la chasse où la meute dévore sa part de gibier.
8. ***Meute*** : troupe de chiens dressés pour la chasse à courre.
9. ***Barbaresques*** : originaires de Barbarie, nom qui désignait autrefois l'Afrique du Nord.
10. ***Créance*** : fiabilité.
11. ***Refuites*** : ruses d'une bête pour échapper aux chasseurs.
12. ***Griffons*** : chiens de chasse.

Des mâtins[1] de Tartarie, presque aussi hauts que des ânes, couleur de feu, l'échine large et le jarret droit, étaient destinés à poursuivre les aurochs[2]. La robe noire des épagneuls luisait comme du
195 satin ; le jappement des talbots valait celui des bigles[3] chanteurs. Dans une cour à part, grondaient, en secouant leur chaîne et roulant leurs prunelles, huit dogues alains, bêtes formidables qui sautent au ventre des cavaliers et n'ont pas peur des lions.

Tous mangeaient du pain de froment, buvaient dans des
200 auges de pierre, et portaient un nom sonore.

La fauconnerie, peut-être, dépassait la meute ; le bon seigneur, à force d'argent, s'était procuré des tiercelets du Caucase, des sacres de Babylone, des gerfauts d'Allemagne, et des faucons pèlerins[4], capturés sur les falaises, au bord des mers froides, en de lointains
205 pays. Ils logeaient dans un hangar couvert de chaume[5], et, attachés par rang de taille sur le perchoir, avaient devant eux une motte de gazon, où de temps à autre on les posait afin de les dégourdir.

Des bourses, des hameçons, des chausse-trapes[6], toutes sortes d'engins, furent confectionnés.

210 Souvent on menait dans la campagne des chiens d'oysel[7], qui tombaient bien vite en arrêt. Alors des piqueurs[8], s'avançant pas à pas, étendaient avec précaution sur leurs corps impassibles un immense filet. Un commandement les faisait aboyer ; des cailles s'envolaient ; et les dames des alentours conviées avec leurs maris,
215 les enfants, les camérières[9], tout le monde se jetait dessus, et les prenait facilement.

---

1. ***Mâtins*** : gros chiens.
2. ***Aurochs*** : taureaux sauvages.
3. ***Talbots, bigles*** : chiens de chasse d'origine anglaise.
4. ***Tiercelets, sacres, gerfauts, faucons pèlerins*** : espèces de faucons.
5. ***Chaume*** : tiges de céréales non fauchées après la moisson.
6. ***Chausse-trapes*** : pièges.
7. ***Chiens d'oysel*** : chiens dressés à chasser les oiseaux.
8. ***Piqueurs*** : valets de chasse.
9. ***Camérières*** : dames de compagnie d'une femme de la noblesse.

D'autres fois, pour débûcher[1] les lièvres, on battait du tambour ; des renards tombaient dans des fosses, ou bien un ressort, se débandant, attrapait un loup par le pied.

220 Mais Julien méprisa ces commodes artifices ; il préférait chasser loin du monde, avec son cheval et son faucon. C'était presque toujours un grand tartaret[2] de Scythie[3], blanc comme la neige. Son capuchon de cuir était surmonté d'un panache, des grelots d'or tremblaient à ses pieds bleus : et il se tenait ferme sur le bras 225 de son maître pendant que le cheval galopait, et que les plaines se déroulaient. Julien, dénouant ses longes[4], le lâchait tout à coup ; la bête hardie montait droit dans l'air comme une flèche ; et l'on voyait deux taches inégales tourner, se joindre, puis disparaître dans les hauteurs de l'azur. Le faucon ne tardait pas à descendre 230 en déchirant quelque oiseau, et revenait se poser sur le gantelet, les deux ailes frémissantes.

Julien vola[5] de cette manière le héron, le milan, la corneille et le vautour.

Il aimait, en sonnant de la trompe, à suivre ses chiens qui 235 couraient sur le versant des collines, sautaient les ruisseaux, remontaient vers le bois ; et, quand le cerf commençait à gémir sous les morsures, il l'abattait prestement, puis se délectait à la furie des mâtins[6] qui le dévoraient, coupé en pièces sur sa peau fumante.

Les jours de brume, il s'enfonçait dans un marais pour guetter 240 les oies, les loutres et les halbrans[7].

Trois écuyers[8], dès l'aube, l'attendaient au bas du perron ; et le vieux moine, se penchant à sa lucarne, avait beau faire des

1. ***Débûcher*** : débusquer.
2. ***Tartaret*** : faucon de Tartarie.
3. ***Scythie*** : pays des Scythes, situé au nord de la mer Noire.
4. ***Longes*** : lanières retenant le faucon au poing de son maître.
5. ***Vola*** : chassa au vol.
6. ***Mâtins*** : voir note 1, p. 31.
7. ***Halbrans*** : canards sauvages.
8. ***Écuyers*** : gentilshommes au service d'un noble.

signes pour le rappeler, Julien ne se retournait pas. Il allait à l'ardeur du soleil, sous la pluie, par la tempête, buvait l'eau des
245 sources dans sa main, mangeait en trottant des pommes sauvages, s'il était fatigué se reposait sous un chêne ; et il rentrait au milieu de la nuit, couvert de sang et de boue, avec des épines dans les cheveux et sentant l'odeur des bêtes farouches. Il devint comme elles. Quand sa mère l'embrassait, il acceptait froidement
250 son étreinte, paraissant rêver à des choses profondes.

Il tua des ours à coups de couteau, des taureaux avec la hache, des sangliers avec l'épieu ; et même une fois, n'ayant plus qu'un bâton, se défendit contre des loups qui rongeaient des cadavres au pied d'un gibet [1].

255 Un matin d'hiver, il partit avant le jour, bien équipé, une arbalète sur l'épaule et un trousseau de flèches à l'arçon de la selle.

Son genet danois [2], suivi de deux bassets, en marchant d'un pas égal, faisait résonner la terre. Des gouttes de verglas se collaient à son manteau, une bise violente soufflait. Un côté de l'horizon
260 s'éclaircit ; et, dans la blancheur du crépuscule, il aperçut des lapins sautillant au bord de leurs terriers. Les deux bassets, tout de suite, se précipitèrent sur eux ; et, çà et là, vivement, leur brisaient l'échine.

Bientôt, il entra dans un bois. Au bout d'une branche, un coq
265 de bruyère engourdi par le froid dormait la tête sous l'aile. Julien, d'un revers d'épée, lui faucha les deux pattes, et sans le ramasser continua sa route.

Trois heures après, il se trouva sur la pointe d'une montagne tellement haute que le ciel semblait presque noir. Devant lui, un
270 rocher pareil à un long mur s'abaissait, en surplombant un précipice ; et, à l'extrémité, deux boucs sauvages regardaient l'abîme. Comme il n'avait pas ses flèches (car son cheval était resté en arrière), il imagina de descendre jusqu'à eux ; à demi

---

1. ***Gibet*** : potence où l'on pendait les condamnés à mort.
2. ***Genet danois*** : chien de chasse.

courbé, pieds nus, il arriva enfin au premier des boucs, et lui enfonça un poignard sous les côtes. Le second, pris de terreur, sauta dans le vide. Julien s'élança pour le frapper, et, glissant du pied droit, tomba sur le cadavre de l'autre, la face au-dessus de l'abîme et les deux bras écartés.

Redescendu dans la plaine, il suivit des saules qui bordaient une rivière. Des grues, volant très bas, de temps à autre passaient au-dessus de sa tête. Julien les assommait avec son fouet, et n'en manqua pas une.

Cependant l'air plus tiède avait fondu le givre, de larges vapeurs flottaient, et le soleil se montra. Il vit reluire tout au loin un lac figé, qui ressemblait à du plomb. Au milieu du lac, il y avait une bête que Julien ne connaissait pas, un castor à museau noir. Malgré la distance, une flèche l'abattit ; et il fut chagrin de ne pouvoir emporter la peau.

Puis il s'avança dans une avenue de grands arbres, formant avec leurs cimes comme un arc de triomphe, à l'entrée d'une forêt. Un chevreuil bondit hors d'un fourré, un daim parut dans un carrefour, un blaireau sortit d'un trou, un paon sur le gazon déploya sa queue ; – et quand il les eut tous occis[1], d'autres chevreuils se présentèrent, d'autres daims, d'autres blaireaux, d'autres paons, et des merles, des geais, des putois, des renards, des hérissons, des lynx, une infinité de bêtes, à chaque pas plus nombreuses. Elles tournaient autour de lui, tremblantes, avec un regard plein de douceur et de supplication. Mais Julien ne se fatiguait pas de tuer, tour à tour bandant son arbalète, dégainant l'épée, pointant du coutelas, et ne pensait à rien, n'avait souvenir de quoi que ce fût. Il était en chasse dans un pays quelconque, depuis un temps indéterminé, par le fait seul de sa propre existence, tout s'accomplissant avec la facilité que l'on éprouve dans les rêves. Un spectacle extraordinaire l'arrêta. Des cerfs emplis-

---

1. ***Quand il les eut tous occis*** : quand il les eut tous tués.

305 saient un vallon ayant la forme d'un cirque ; et tassés, les uns près des autres, ils se réchauffaient avec leurs haleines que l'on voyait fumer dans le brouillard.

L'espoir d'un pareil carnage, pendant quelques minutes, le suffoqua de plaisir. Puis il descendit de cheval, retroussa ses 310 manches, et se mit à tirer.

Au sifflement de la première flèche, tous les cerfs à la fois tournèrent la tête. Il se fit des enfonçures [1] dans leur masse ; des voix plaintives s'élevaient, et un grand mouvement agita le troupeau.

315 Le rebord du vallon était trop haut pour le franchir. Ils bondissaient dans l'enceinte, cherchant à s'échapper. Julien visait, tirait ; et les flèches tombaient comme les rayons d'une pluie d'orage. Les cerfs rendus furieux se battirent, se cabraient, montaient les uns par-dessus les autres ; et leurs corps avec leurs ramures [2] emmêlées 320 faisaient un large monticule, qui s'écroulait, en se déplaçant.

Enfin ils moururent, couchés sur le sable, la bave aux naseaux, les entrailles sorties, et l'ondulation de leurs ventres s'abaissant par degrés. Puis tout fut immobile.

La nuit allait venir ; et derrière le bois, dans les intervalles des 325 branches, le ciel était rouge comme une nappe de sang.

Julien s'adossa contre un arbre. Il contemplait d'un œil béant l'énormité du massacre, ne comprenant pas comment il avait pu le faire.

De l'autre côté du vallon, sur le bord de la forêt, il aperçut un 330 cerf, une biche et son faon.

Le cerf, qui était noir et monstrueux de taille, portait seize andouillers [3] avec une barbe blanche. La biche, blonde comme les feuilles mortes, broutait le gazon ; et le faon tacheté, sans l'interrompre dans sa marche, lui tétait la mamelle.

---

1. ***Enfonçures*** : creux, trous.
2. ***Ramures*** : ensemble des bois des cervidés.
3. ***Andouillers*** : ramifications des bois chez les cervidés.

335 L'arbalète encore une fois ronfla. Le faon, tout de suite, fut tué. Alors sa mère, en regardant le ciel, brama d'une voix profonde, déchirante, humaine. Julien exaspéré, d'un coup en plein poitrail, l'étendit par terre.

Le grand cerf l'avait vu, fit un bond. Julien lui envoya sa 340 dernière flèche. Elle l'atteignit au front, et y resta plantée.

Le grand cerf n'eut pas l'air de la sentir ; en enjambant pardessus les morts, il avançait toujours, allait fondre sur lui, l'éventrer ; et Julien reculait dans une épouvante indicible[1]. Le prodigieux[2] animal s'arrêta ; et les yeux flamboyants, solennel 345 comme un patriarche[3] et comme un justicier, pendant qu'une cloche au loin tintait, il répéta trois fois :

« Maudit ! maudit ! maudit ! Un jour, cœur féroce, tu assassineras ton père et ta mère ! »

Il plia les genoux, ferma doucement ses paupières, et mourut.

350 Julien fut stupéfait, puis accablé d'une fatigue soudaine ; et un dégoût, une tristesse immense l'envahit. Le front dans les deux mains, il pleura pendant longtemps.

Son cheval était perdu ; ses chiens l'avaient abandonné ; la solitude qui l'enveloppait lui sembla toute menaçante de périls 355 indéfinis. Alors, poussé par un effroi, il prit sa course à travers la campagne, choisit au hasard un sentier, et se trouva presque immédiatement à la porte du château.

La nuit, il ne dormit pas. Sous le vacillement de la lampe suspendue, il revoyait toujours le grand cerf noir. Sa prédiction 360 l'obsédait ; il se débattait contre elle. « Non ! non ! non ! je ne peux pas les tuer ! » puis il songeait : « Si je le voulais, pourtant ?... » et il avait peur que le Diable ne lui en inspirât l'envie.

1. ***Indicible*** : indescriptible, impossible à dire.

2. ***Prodigieux*** : extraordinaire, qui a un caractère relevant du prodige, c'est-à-dire de la magie.

3. ***Patriarche*** : vieillard majestueux.

Durant trois mois, sa mère en angoisse pria au chevet de son lit, et son père, en gémissant, marchait continuellement dans les couloirs. Il manda les maîtres mires [1] les plus fameux, lesquels ordonnèrent des quantités de drogues [2]. Le mal de Julien, disaient-ils, avait pour cause un vent funeste, ou un désir d'amour. Mais le jeune homme, à toutes les questions, secouait la tête.

Les forces lui revinrent ; et on le promenait dans la cour, le vieux moine et le bon seigneur le soutenant chacun par un bras.

Quand il fut rétabli complètement, il s'obstina à ne point chasser.

Son père, le voulant réjouir, lui fit cadeau d'une grande épée sarrasine [3].

Elle était au haut d'un pilier, dans une panoplie. Pour l'atteindre, il fallut une échelle. Julien y monta. L'épée trop lourde lui échappa des doigts, et en tombant frôla le bon seigneur de si près que sa houppelande [4] en fut coupée ; Julien crut avoir tué son père, et s'évanouit.

Dès lors, il redouta les armes. L'aspect d'un fer nu le faisait pâlir. Cette faiblesse était une désolation pour sa famille.

Enfin le vieux moine, au nom de Dieu, de l'honneur et des ancêtres, lui commanda de reprendre ses exercices de gentilhomme.

Les écuyers [5], tous les jours, s'amusaient au maniement de la javeline [6]. Julien y excella bien vite. Il envoyait la sienne dans le goulot des bouteilles, cassait les dents des girouettes, frappait à cent pas les clous des portes.

---

1. ***Mires*** : médecins.
2. ***Drogues*** : médicaments.
3. ***Sarrasine*** : voir note 9, p. 24.
4. ***Houppelande*** : ample manteau.
5. ***Écuyers*** : voir note 8, p. 32.
6. ***Javeline*** : javelot léger.

Un soir d'été, à l'heure où la brume rend les choses indis-
390 tinctes, étant sous la treille[1] du jardin, il aperçut tout au fond deux ailes blanches qui voletaient à la hauteur de l'espalier[2]. Il ne douta pas que ce ne fût une cigogne ; et il lança son javelot.

Un cri déchirant partit.

C'était sa mère, dont le bonnet à longues barbes[3] restait
395 cloué contre le mur.

Julien s'enfuit du château, et ne reparut plus.

1. ***Treille*** : voir note 4, p. 23.
2. ***Espalier*** : mur le long duquel on plante des arbres.
3. ***Barbes*** : dentelles.

Photo : T. Leroy

■ Julien part à la guerre. Vitrail de la cathédrale Notre-Dame de Rouen (détail).

II

Il s'engagea dans une troupe d'aventuriers qui passaient.

Il connut la faim, la soif, les fièvres et la vermine. Il s'accoutuma au fracas des mêlées, à l'aspect des moribonds. Le vent tanna sa peau. Ses membres se durcirent par le contact des armures ; et comme il était très fort, courageux, tempérant [1], avisé [2], il obtint sans peine le commandement d'une compagnie.

Au début des batailles, il enlevait ses soldats d'un grand geste de son épée. Avec une corde à nœuds, il grimpait aux murs des citadelles, la nuit, balancé par l'ouragan, pendant que les flammèches du feu grégeois [3] se collaient à sa cuirasse, et que la résine bouillante et le plomb fondu ruisselaient des créneaux. Souvent le heurt d'une pierre fracassa son bouclier. Des ponts trop chargés d'hommes croulèrent sous lui. En tournant sa masse d'armes, il se débarrassa de quatorze cavaliers. Il défit, en champ clos, tous ceux qui se proposèrent. Plus de vingt fois on le crut mort.

Grâce à la faveur divine, il en réchappa toujours ; car il protégeait les gens d'Église, les orphelins, les veuves, et principalement les vieillards. Quand il en voyait un marchant devant lui, il criait pour connaître sa figure, comme s'il avait eu peur de le tuer par méprise.

---

1. ***Tempérant*** : buvant très peu d'alcool.

2. ***Avisé*** : sage.

3. ***Feu grégeois*** : feu à longue combustion utilisé à la guerre.

Des esclaves en fuite, des manants[1] révoltés, des bâtards sans fortune, toutes sortes d'intrépides affluèrent sous son drapeau, et il se composa une armée.

Elle grossit. Il devint fameux. On le recherchait.

Tour à tour, il secourut le dauphin[2] de France et le roi d'Angleterre, les templiers[3] de Jérusalem, le suréna des Parthes[4], le négus d'Abyssinie[5], et l'empereur de Calicut[6]. Il combattit des Scandinaves recouverts d'écailles de poisson, des Nègres munis de rondaches[7] en cuir d'hippopotame et, montés sur des ânes rouges, des Indiens couleur d'or et brandissant par-dessus leurs diadèmes de larges sabres, plus clairs que des miroirs. Il vainquit les Troglodytes et les Anthropophages[8]. Il traversa des régions si torrides que sous l'ardeur du soleil les chevelures s'allumaient d'elles-mêmes, comme des flambeaux ; et d'autres qui étaient si glaciales que les bras, se détachant du corps, tombaient par terre ; et des pays où il y avait tant de brouillards que l'on marchait environné de fantômes.

Des républiques en embarras le consultèrent. Aux entrevues d'ambassadeurs, il obtenait des conditions inespérées. Si un monarque se conduisait trop mal, il arrivait tout à coup, et lui faisait des remontrances. Il affranchit des peuples. Il délivra des reines enfermées dans des tours. C'est lui, et pas un autre, qui assomma la guivre[9] de Milan et le dragon d'Oberbirbach.

---

1. ***Manants*** : voir note 3, p. 25.
2. ***Dauphin*** : héritier du roi de France.
3. ***Templiers*** : chevaliers de l'ordre du Temple, ordre religieux et militaire fondé à Jérusalem au moment des premières croisades.
4. ***Le suréna des Parthes*** : général en chef d'un peuple vivant jadis en Iran.
5. ***Le négus d'Abyssinie*** : l'empereur d'Éthiopie.
6. ***Calicut*** : Calcutta, ville d'Inde.
7. ***Rondaches*** : boucliers ronds.
8. ***Troglodytes, Anthropophages*** : peuples imaginaires dont les noms signifient respectivement « habitants des cavernes » et « mangeurs d'hommes ».
9. ***Guivre*** : serpent monstrueux.

Or l'empereur d'Occitanie, ayant triomphé des musulmans espagnols, s'était joint par concubinage à la sœur du calife de Cordoue[1] ; et il en conservait une fille, qu'il avait élevée chrétiennement. Mais le calife, faisant mine de vouloir se convertir, vint lui rendre visite, accompagné d'une escorte nombreuse, massacra toute sa garnison, et le plongea dans un cul de basse-fosse[2], où il le traitait durement, afin d'en extirper des trésors.

Julien accourut à son aide, détruisit l'armée des infidèles, assiégea la ville, tua le calife, coupa sa tête, et la jeta comme une boule par-dessus les remparts. Puis il tira l'empereur de sa prison, et le fit remonter sur son trône, en présence de toute sa cour.

L'empereur, pour prix d'un tel service, lui présenta dans des corbeilles beaucoup d'argent ; Julien n'en voulut pas. Croyant qu'il en désirait davantage, il lui offrit les trois quarts de ses richesses ; nouveau refus ; puis de partager son royaume ; Julien le remercia ; et l'empereur en pleurait de dépit, ne sachant de quelle manière témoigner sa reconnaissance, quand il se frappa le front, dit un mot à l'oreille d'un courtisan ; les rideaux d'une tapisserie se relevèrent, et une jeune fille parut.

Ses grands yeux noirs brillaient comme deux lampes très douces. Un sourire charmant écartait ses lèvres. Les anneaux de sa chevelure s'accrochaient aux pierreries de sa robe entr'ouverte ; et, sous la transparence de sa tunique, on devinait la jeunesse de son corps. Elle était toute mignonne et potelée, avec la taille fine.

Julien fut ébloui d'amour, d'autant plus qu'il avait mené jusqu'alors une vie très chaste.

Donc il reçut en mariage la fille de l'empereur, avec un château qu'elle tenait de sa mère ; et, les noces étant terminées, on se quitta, après des politesses infinies de part et d'autre.

---

1. ***Calife de Cordoue*** : souverain musulman qui régnait en Andalousie.
2. ***Cul de basse-fosse*** : cachot souterrain.

75 C'était un palais de marbre blanc, bâti à la moresque [1], sur un promontoire, dans un bois d'orangers. Des terrasses de fleurs descendaient jusqu'au bord d'un golfe, où des coquilles roses craquaient sous les pas. Derrière le château, s'étendait une forêt ayant le dessin d'un éventail. Le ciel continuellement était bleu, 80 et les arbres se penchaient tour à tour sous la brise de la mer et le vent des montagnes, qui fermaient au loin l'horizon.

Les chambres, pleines de crépuscule, se trouvaient éclairées par les incrustations des murailles. De hautes colonnettes, minces comme des roseaux, supportaient la voûte des coupoles, décorées 85 de reliefs imitant les stalactites des grottes.

Il y avait des jets d'eau dans les salles, des mosaïques dans les cours, des cloisons festonnées [2], mille délicatesses d'architecture, et partout un tel silence que l'on entendait le frôlement d'une écharpe ou l'écho d'un soupir.

90 Julien ne faisait plus la guerre. Il se reposait, entouré d'un peuple tranquille ; et chaque jour, une foule passait devant lui, avec des génuflexions [3] et des baise-mains à l'orientale.

Vêtu de pourpre, il restait accoudé dans l'embrasure d'une fenêtre, en se rappelant ses chasses d'autrefois ; et il aurait voulu 95 courir sur le désert après les gazelles et les autruches, être caché dans les bambous à l'affût des léopards, traverser des forêts pleines de rhinocéros, atteindre au sommet des monts les plus inaccessibles pour viser mieux les aigles, et sur les glaçons de la mer combattre les ours blancs.

100 Quelquefois, dans un rêve, il se voyait comme notre père Adam au milieu du Paradis, entre toutes les bêtes ; en allongeant le bras, il les faisait mourir ; ou bien, elles défilaient, deux à deux, par rang de taille, depuis les éléphants et les lions jusqu'aux hermines et aux canards, comme le jour qu'elles entrèrent dans l'arche de Noé. À

1. ***À la moresque*** : selon l'architecture arabe.
2. ***Festonnées*** : finement découpées.
3. ***Génuflexions*** : agenouillements.

105 l'ombre d'une caverne, il dardait sur elles des javelots infaillibles ; il en survenait d'autres ; cela n'en finissait pas ; et il se réveillait en roulant des yeux farouches.

Des princes de ses amis l'invitèrent à chasser. Il s'y refusa toujours, croyant, par cette sorte de pénitence[1], détourner son 110 malheur ; car il lui semblait que du meurtre des animaux dépendait le sort de ses parents. Mais il souffrait de ne pas les voir, et son autre envie devenait insupportable.

Sa femme, pour le récréer[2], fit venir des jongleurs et des danseuses.

115 Elle se promenait avec lui, en litière[3] ouverte, dans la campagne ; d'autres fois, étendus sur le bord d'une chaloupe, ils regardaient les poissons vagabonder dans l'eau, claire comme le ciel. Souvent elle lui jetait des fleurs au visage ; accroupie devant ses pieds, elle tirait des airs d'une mandoline à trois cordes ; puis, 120 lui posant sur l'épaule ses deux mains jointes, disait d'une voix timide : « Qu'avez-vous donc, cher seigneur ? »

Il ne répondait pas, ou éclatait en sanglots ; enfin, un jour, il avoua son horrible pensée.

Elle la combattit, en raisonnant très bien : son père et sa 125 mère, probablement, étaient morts ; si jamais il les revoyait, par quel hasard, dans quel but, arriverait-il à cette abomination ? Donc, sa crainte n'avait pas de cause, et il devait se remettre à chasser.

Julien souriait en l'écoutant, mais ne se décidait pas à satis-130 faire son désir.

Un soir du mois d'août qu'ils étaient dans leur chambre, elle venait de se coucher et il s'agenouillait pour sa prière quand il entendit le jappement d'un renard, puis des pas légers sous la

1. ***Pénitence*** : punition que l'on s'inflige à soi-même pour se punir de ses péchés.
2. ***Récréer*** : divertir.
3. ***Litière*** : lit ambulant servant aux voyages ou à la promenade.

fenêtre ; et il entrevit dans l'ombre comme des apparences d'ani-
135 maux. La tentation était trop forte. Il décrocha son carquois.

Elle parut surprise.

« C'est pour t'obéir ! dit-il, au lever du soleil, je serai revenu. »

Cependant elle redoutait une aventure funeste.

Il la rassura, puis sortit, étonné de l'inconséquence de son
140 humeur.

Peu de temps après, un page vint annoncer que deux inconnus, à défaut du seigneur absent, réclamaient tout de suite la seigneuresse.

Et bientôt entrèrent dans la chambre un vieil homme et une
145 vieille femme, courbés, poudreux, en habits de toile, et s'appuyant chacun sur un bâton.

Ils s'enhardirent et déclarèrent qu'ils apportaient à Julien des nouvelles de ses parents.

Elle se pencha pour les entendre.

150 Mais, s'étant concertés du regard, ils lui demandèrent s'il les aimait toujours, s'il parlait d'eux quelquefois.

« Oh ! oui ! » dit-elle.

Alors, ils s'écrièrent :

« Eh bien ! c'est nous ! »

155 Et ils s'assirent, étant fort las et recrus [1] de fatigue.

Rien n'assurait à la jeune femme que son époux fût leur fils.

Ils en donnèrent la preuve, en décrivant des signes particuliers qu'il avait sur la peau.

Elle sauta hors sa couche, appela son page, et on leur servit
160 un repas.

Bien qu'ils eussent grand faim, ils ne pouvaient guère manger ; et elle observait à l'écart le tremblement de leurs mains osseuses, en prenant les gobelets.

---

1. ***Recrus*** : éreintés.

Ils firent mille questions sur Julien. Elle répondait à chacune,
165 mais eut soin de taire l'idée funèbre qui les concernait.

Ne le voyant pas revenir, ils étaient partis de leur château ; et ils marchaient depuis plusieurs années, sur de vagues indications, sans perdre l'espoir. Il avait fallu tant d'argent au péage des fleuves et dans les hôtelleries, pour les droits des princes et les
170 exigences des voleurs, que le fond de leur bourse était vide, et qu'ils mendiaient maintenant. Qu'importe, puisque bientôt ils embrasseraient leur fils ? Ils exaltaient son bonheur d'avoir une femme aussi gentille, et ne se lassaient point de la contempler et de la baiser.

175 La richesse de l'appartement les étonnait beaucoup ; et le vieux, ayant examiné les murs, demanda pourquoi s'y trouvait le blason de l'empereur d'Occitanie.

Elle répliqua :

« C'est mon père ! »

180 Alors il tressaillit, se rappelant la prédiction du Bohême ; et la vieille songeait à la parole de l'Ermite. Sans doute la gloire de son fils n'était que l'aurore des splendeurs éternelles ; et tous les deux restaient béants [1], sous la lumière du candélabre qui éclairait la table.

Ils avaient dû être très beaux dans leur jeunesse. La mère avait
185 encore tous ses cheveux, dont les bandeaux [2] fins, pareils à des plaques de neige, pendaient jusqu'au bas de ses joues ; et le père, avec sa taille haute et sa grande barbe, ressemblait à une statue d'église.

La femme de Julien les engagea à ne pas l'attendre. Elle les
190 coucha elle-même dans son lit, puis ferma la croisée [3] ; ils s'endormirent. Le jour allait paraître, et, derrière le vitrail, les petits oiseaux commençaient à chanter.

---

1. ***Béants*** : bouche bée, stupéfaits.
2. ***Bandeaux*** : cheveux qui ceignent le front et les tempes.
3. ***Croisée*** : fenêtre.

Julien avait traversé le parc ; et il marchait dans la forêt d'un pas nerveux, jouissant de la mollesse du gazon et de la douceur
195 de l'air.

Les ombres des arbres s'étendaient sur la mousse. Quelquefois la lune faisait des taches blanches dans les clairières, et il hésitait à s'avancer, croyant apercevoir une flaque d'eau, ou bien la surface des mares tranquilles se confondait avec la couleur de l'herbe.
200 C'était partout un grand silence ; et il ne découvrait aucune des bêtes qui, peu de minutes auparavant, erraient à l'entour de son château.

Le bois s'épaissit, l'obscurité devint profonde. Des bouffées de vent chaud passaient, pleines de senteurs amollissantes. Il
205 enfonçait dans des tas de feuilles mortes, et il s'appuya contre un chêne pour haleter un peu.

Tout à coup, derrière son dos, bondit une masse plus noire, un sanglier. Julien n'eut pas le temps de saisir son arc, et il s'en affligea comme d'un malheur.

210 Puis, étant sorti du bois, il aperçut un loup qui filait le long d'une haie.

Julien lui envoya une flèche. Le loup s'arrêta, tourna la tête pour le voir et reprit sa course. Il trottait en gardant toujours la même distance, s'arrêtait de temps à autre, et, sitôt qu'il était
215 visé, recommençait à fuir.

Julien parcourut de cette manière une plaine interminable, puis des monticules de sable, et enfin il se trouva sur un plateau dominant un grand espace de pays. Des pierres plates étaient clairsemées entre des caveaux en ruine. On trébuchait sur des
220 ossements de morts ; de place en place, des croix vermoulues [1] se penchaient d'un air lamentable. Mais des formes remuèrent dans l'ombre indécise des tombeaux ; et il en surgit des hyènes, tout effarées, pantelantes [2]. En faisant claquer leurs ongles sur les

1. ***Vermoulues*** : mangées par les vers.
2. ***Pantelantes*** : essoufflées.

dalles, elles vinrent à lui et le flairaient avec un bâillement qui
225 découvrait leurs gencives. Il dégaina son sabre. Elles partirent à la fois dans toutes les directions, et, continuant leur galop boiteux et précipité, se perdirent au loin sous un flot de poussière.

Une heure après, il rencontra dans un ravin un taureau furieux, les cornes en avant, et qui grattait le sable avec son pied. Julien lui
230 pointa sa lance sous les fanons [1]. Elle éclata, comme si l'animal eût été de bronze ; il ferma les yeux, attendant sa mort. Quand il les rouvrit, le taureau avait disparu.

Alors son âme s'affaissa de honte. Un pouvoir supérieur détruisait sa force ; et, pour s'en retourner chez lui, il rentra dans
235 la forêt.

Elle était embarrassée de lianes ; et il les coupait avec son sabre quand une fouine glissa brusquement entre ses jambes, une panthère fit un bond par-dessus son épaule, un serpent monta en spirale autour d'un frêne.

240 Il y avait dans son feuillage un choucas [2] monstrueux, qui regardait Julien ; et, çà et là, parurent entre les branches quantité de larges étincelles, comme si le firmament eût fait pleuvoir dans la forêt toutes ses étoiles. C'étaient des yeux d'animaux, des chats sauvages, des écureuils, des hiboux, des perroquets, des
245 singes.

Julien darda contre eux ses flèches ; les flèches, avec leurs plumes, se posaient sur les feuilles comme des papillons blancs. Il leur jeta des pierres ; les pierres, sans rien toucher, retombaient. Il se maudit, aurait voulu se battre, hurla des imprécations [3],
250 étouffait de rage.

Et tous les animaux qu'il avait poursuivis se représentèrent, faisant autour de lui un cercle étroit. Les uns étaient assis sur leur croupe, les autres dressés de toute leur taille. Il restait au milieu,

---

1. ***Fanons*** : peaux pendant sous le cou des bovidés.
2. ***Choucas*** : espèce de corbeaux.
3. ***Imprécations*** : menaces, malédictions.

glacé de terreur, incapable du moindre mouvement. Par un effort
255 suprême de sa volonté, il fit un pas ; ceux qui perchaient sur les arbres ouvrirent leurs ailes, ceux qui foulaient le sol déplacèrent leurs membres ; et tous l'accompagnaient.

Les hyènes marchaient devant lui, le loup et le sanglier par-derrière. Le taureau, à sa droite, balançait la tête ; et, à sa gauche,
260 le serpent ondulait dans les herbes, tandis que la panthère, bombant son dos, avançait à pas de velours et à grandes enjambées. Il allait le plus lentement possible pour ne pas les irriter ; et il voyait sortir de la profondeur des buissons des porcs-épics, des renards, des vipères, des chacals et des ours.

265 Julien se mit à courir ; ils coururent. Le serpent sifflait, les bêtes puantes bavaient. Le sanglier lui frottait les talons avec ses défenses, le loup, l'intérieur des mains avec les poils de son museau. Les singes le pinçaient en grimaçant, la fouine se roulait sur ses pieds. Un ours, d'un revers de patte, lui enleva son cha-
270 peau ; et la panthère, dédaigneusement, laissa tomber une flèche qu'elle portait à sa gueule.

Une ironie perçait dans leurs allures sournoises. Tout en l'observant du coin de leurs prunelles, ils semblaient méditer un plan de vengeance ; et, assourdi par le bourdonnement des insectes,
275 battu par des queues d'oiseaux, suffoqué par des haleines, il marchait les bras tendus et les paupières closes comme un aveugle, sans même avoir la force de crier « Grâce ! ».

Le chant d'un coq vibra dans l'air. D'autres y répondirent ; c'était le jour ; et il reconnut, au-delà des orangers, le faîte[1] de
280 son palais.

Puis, au bord d'un champ, il vit, à trois pas d'intervalle, des perdrix rouges qui voletaient dans les chaumes[2]. Il dégrafa son manteau, et l'abattit sur elles comme un filet. Quand il les eut

---

1. ***Faîte*** : sommet.
2. ***Chaumes*** : voir note 5, p. 31.

découvertes, il n'en trouva qu'une seule, et morte depuis long-
285 temps, pourrie.

Cette déception l'exaspéra plus que toutes les autres. Sa soif de carnage le reprenait ; les bêtes manquant, il aurait voulu massacrer des hommes.

Il gravit les trois terrasses, enfonça la porte d'un coup de
290 poing ; mais, au bas de l'escalier le souvenir de sa chère femme détendit son cœur. Elle dormait sans doute, et il allait la surprendre.

Ayant retiré ses sandales, il tourna doucement la serrure, et entra.

295 Les vitraux garnis de plomb obscurcissaient la pâleur de l'aube. Julien se prit les pieds dans des vêtements, par terre ; un peu plus loin, il heurta une crédence [1] encore chargée de vaisselle. « Sans doute, elle aura mangé », se dit-il ; et il avançait vers le lit, perdu dans les ténèbres au fond de la chambre. Quand il fut au bord, afin
300 d'embrasser sa femme, il se pencha sur l'oreiller où les deux têtes reposaient l'une près de l'autre. Alors, il sentit contre sa bouche l'impression d'une barbe.

Il se recula, croyant devenir fou ; mais il revint près du lit, et ses doigts, en palpant, rencontrèrent des cheveux qui étaient très
305 longs. Pour se convaincre de son erreur, il repassa lentement sa main sur l'oreiller. C'était bien une barbe, cette fois, et un homme ! Un homme couché avec sa femme !

Éclatant d'une colère démesurée, il bondit sur eux à coups de poignard ; et il trépignait, écumait, avec des hurlements de
310 bête fauve. Puis il s'arrêta. Les morts, percés au cœur, n'avaient pas même bougé. Il écoutait attentivement leurs deux râles presque égaux, et, à mesure qu'ils s'affaiblissaient, un autre, tout au loin, les continuait. Incertaine d'abord, cette voix plaintive,

---

1. ***Crédence*** : buffet.

Photo : T. Leroy

■ Julien tue ses parents. Vitrail de la cathédrale Notre-Dame de Rouen (détail).

longuement poussée, se rapprochait, s'enfla, devint cruelle ; et il reconnut, terrifié, le bramement du grand cerf noir.

Et comme il se retournait, il crut voir, dans l'encadrure de la porte, le fantôme de sa femme, une lumière à la main.

Le tapage du meurtre l'avait attirée. D'un large coup d'œil, elle comprit tout, et, s'enfuyant d'horreur, laissa tomber son flambeau.

Il le ramassa.

Son père et sa mère étaient devant lui, étendus sur le dos avec un trou dans la poitrine ; et leurs visages, d'une majestueuse douceur, avaient l'air de garder comme un secret éternel. Des éclaboussures et des flaques de sang s'étalaient au milieu de leur peau blanche, sur les draps du lit, par terre, le long d'un christ d'ivoire suspendu dans l'alcôve[1]. Le reflet écarlate du vitrail, alors frappé par le soleil, éclairait ces taches rouges, et en jetait de plus nombreuses dans tout l'appartement. Julien marcha vers les deux morts en se disant, en voulant croire, que cela n'était pas possible, qu'il s'était trompé, qu'il y a parfois des ressemblances inexplicables. Enfin, il se baissa légèrement pour voir de tout près le vieillard ; et il aperçut, entre ses paupières mal fermées, une prunelle éteinte qui le brûla comme du feu. Puis il se porta de l'autre côté de la couche, occupé par l'autre corps, dont les cheveux blancs masquaient une partie de la figure. Julien lui passa les doigts sous ses bandeaux, leva sa tête ; – et il la regardait, en la tenant au bout de son bras roidi, pendant que de l'autre main il s'éclairait avec le flambeau. Des gouttes, suintant du matelas, tombaient une à une sur le plancher.

À la fin du jour, il se présenta devant sa femme ; et, d'une voix différente de la sienne, il lui commanda premièrement de ne pas lui répondre, de ne pas l'approcher, de ne plus même le regarder,

1. ***Alcôve*** : renfoncement où l'on place un lit.

et qu'elle eût à suivre, sous peine de damnation, tous ses ordres
345 qui étaient irrévocables [1].

Les funérailles seraient faites selon les instructions qu'il avait laissées par écrit, sur un prie-Dieu [2], dans la chambre des morts. Il lui abandonnait son palais, ses vassaux [3], tous ses biens, sans même retenir les vêtements de son corps, et ses sandales, que l'on
350 trouverait au haut de l'escalier.

Elle avait obéi à la volonté de Dieu, en occasionnant son crime, et devait prier pour son âme, puisque désormais il n'existait plus.

On enterra les morts avec magnificence, dans l'église d'un monastère à trois journées du château. Un moine en cagoule
355 rabattue suivit le cortège, loin de tous les autres, sans que personne osât lui parler.

Il resta, pendant la messe, à plat ventre au milieu du portail, les bras en croix, et le front dans la poussière.

Après l'ensevelissement, on le vit prendre le chemin qui
360 menait aux montagnes. Il se retourna plusieurs fois, et finit par disparaître.

---

1. ***Irrévocable*** : qu'on ne peut modifier.
2. ***Prie-Dieu*** : voir note 9, p. 28.
3. ***Vassaux*** : voir note 2, p. 25.

III

Il s'en alla, mendiant sa vie par le monde.

Il tendait sa main aux cavaliers sur les routes, avec des génuflexions s'approchait des moissonneurs, ou restait immobile devant la barrière des cours ; et son visage était si triste que 5 jamais on ne lui refusait l'aumône.

Par esprit d'humilité, il racontait son histoire ; alors tous s'enfuyaient, en faisant des signes de croix. Dans les villages où il avait déjà passé, sitôt qu'il était reconnu, on fermait les portes, on lui criait des menaces, on lui jetait des pierres. Les plus chari- 10 tables posaient une écuelle sur le bord de leur fenêtre, puis fermaient l'auvent[1] pour ne pas l'apercevoir.

Repoussé de partout, il évita les hommes ; et il se nourrit de racines, de plantes, de fruits perdus, et de coquillages qu'il cherchait le long des grèves[2].

15 Quelquefois, au tournant d'une côte, il voyait sous ses yeux une confusion de toits pressés, avec des flèches de pierre, des ponts, des tours, des rues noires s'entrecroisant, et d'où montait jusqu'à lui un bourdonnement continuel.

Le besoin de se mêler à l'existence des autres le faisait des- 20 cendre dans la ville. Mais l'air bestial des figures, le tapage des métiers, l'indifférence des propos glaçaient son cœur. Les jours

1. ***Auvent*** : volet de bois.
2. ***Grèves*** : rivages.

de fête, quand le bourdon[1] des cathédrales mettait en joie dès l'aurore le peuple entier, il regardait les habitants sortir de leurs maisons, puis les danses sur les places, les fontaines de cervoise[2] dans les carrefours, les tentures de damas[3] devant le logis des princes, et le soir venu, par le vitrage des rez-de-chaussée, les longues tables de famille où des aïeux tenaient des petits enfants sur leurs genoux ; des sanglots l'étouffaient, et il s'en retournait vers la campagne.

Il contemplait avec des élancements d'amour les poulains dans les herbages, les oiseaux dans leurs nids, les insectes sur les fleurs ; tous, à son approche, couraient plus loin, se cachaient effarés, s'envolaient bien vite.

Il rechercha les solitudes. Mais le vent apportait à son oreille comme des râles d'agonie ; les larmes de la rosée tombant par terre lui rappelaient d'autres gouttes d'un poids plus lourd. Le soleil, tous les soirs, étalait du sang dans les nuages ; et chaque nuit, en rêve, son parricide[4] recommençait.

Il se fit un cilice[5] avec des pointes de fer. Il monta sur les deux genoux toutes les collines ayant une chapelle à leur sommet. Mais l'impitoyable pensée obscurcissait la splendeur des tabernacles[6], le torturait à travers les macérations[7] de la pénitence.

Il ne se révoltait pas contre Dieu qui lui avait infligé cette action, et pourtant se désespérait de l'avoir pu commettre.

Sa propre personne lui faisait tellement horreur qu'espérant s'en délivrer il l'aventura dans des périls. Il sauva des paraly-

---

1. ***Bourdon*** : cloche à sonorité grave.

2. ***Cervoise*** : sorte de bière.

3. ***Damas*** : riche étoffe satinée.

4. ***Parricide*** : meurtre du père, des parents.

5. ***Cilice*** : chemise de crin piquante portée en guise de pénitence.

6. ***Tabernacles*** : petites armoires richement décorées où sont conservées les hosties dans les églises.

7. ***Macérations*** : souffrance que s'inflige un pénitent.

tiques des incendies, des enfants du fond des gouffres. L'abîme le rejetait, les flammes l'épargnaient.

Le temps n'apaisa pas sa souffrance. Elle devenait intolérable. 50 Il résolut de mourir.

Et un jour qu'il se trouvait au bord d'une fontaine, comme il se penchait dessus pour juger de la profondeur de l'eau, il vit paraître en face de lui un vieillard tout décharné[1], à barbe blanche et d'un aspect si lamentable qu'il lui fut impossible de retenir ses pleurs. 55 L'autre, aussi, pleurait. Sans reconnaître son image, Julien se rappelait confusément une figure ressemblant à celle-là. Il poussa un cri ; c'était son père ; et il ne pensa plus à se tuer.

Ainsi, portant le poids de son souvenir, il parcourut beaucoup de pays ; et il arriva près d'un fleuve dont la traversée était dange- 60 reuse, à cause de sa violence et parce qu'il y avait sur les rives une grande étendue de vase. Personne depuis longtemps n'osait plus le passer.

Une vieille barque, enfouie à l'arrière, dressait sa proue dans les roseaux. Julien en l'examinant découvrit une paire d'avirons ; 65 et l'idée lui vint d'employer son existence au service des autres.

Il commença par établir sur la berge une manière de chaussée qui permettait de descendre jusqu'au chenal[2] ; et il se brisait les ongles à remuer les pierres énormes, les appuyait contre son ventre pour les transporter, glissait dans la vase, y enfonçait, manqua 70 périr plusieurs fois.

Ensuite, il répara le bateau avec des épaves de navires, et il se fit une cahute avec de la terre glaise et des troncs d'arbres.

Le passage étant connu, les voyageurs se présentèrent. Ils l'appelaient de l'autre bord, en agitant des drapeaux ; Julien bien vite 75 sautait dans sa barque. Elle était très lourde ; et on la surchargeait par toutes sortes de bagages et de fardeaux, sans compter les bêtes de somme, qui, ruant de peur, augmentaient l'encombrement. Il

1. ***Décharné*** : d'une maigreur squelettique.
2. ***Chenal*** : canal.

ne demandait rien pour sa peine ; quelques-uns lui donnaient des restes de victuailles qu'ils tiraient de leur bissac[1] ou les habits trop
80 usés dont ils ne voulaient plus. Des brutaux vociféraient des blasphèmes. Julien les reprenait avec douceur ; et ils ripostaient par des injures. Il se contentait de les bénir.

Une petite table, un escabeau, un lit de feuilles mortes et trois coupes d'argile, voilà tout ce qu'était son mobilier. Deux trous
85 dans la muraille servaient de fenêtres. D'un côté, s'étendaient à perte de vue des plaines stériles ayant sur leur surface de pâles étangs, çà et là ; et le grand fleuve, devant lui, roulait ses flots verdâtres. Au printemps, la terre humide avait une odeur de pourriture. Puis un vent désordonné soulevait la poussière en
90 tourbillons. Elle entrait partout, embourbait l'eau, craquait sous les gencives. Un peu plus tard, c'étaient des nuages de moustiques, dont la susurration[2] et les piqûres ne s'arrêtaient ni jour ni nuit. Ensuite, survenaient d'atroces gelées qui donnaient aux choses la rigidité de la pierre, et inspiraient un besoin fou de
95 manger de la viande.

Des mois s'écoulaient sans que Julien vît personne. Souvent il fermait les yeux, tâchant, par la mémoire, de revenir dans sa jeunesse ; – et la cour d'un château apparaissait, avec des lévriers sur un perron, des valets dans la salle d'armes, et, sous un ber-
100 ceau de pampres[3], un adolescent à cheveux blonds entre un vieillard couvert de fourrures et une dame à grand hennin[4] ; tout à coup, les deux cadavres étaient là. Il se jetait à plat ventre sur son lit, et répétait en pleurant : « Ah ! pauvre père ! pauvre mère ! pauvre mère ! » et tombait dans un assoupissement où les visions
105 funèbres continuaient.

---

1. ***Bissac*** : besace.
2. ***Susurration*** : murmure.
3. ***Pampres*** : branches de vigne.
4. ***Hennin*** : voir note 4, p. 25.

Photo : T. Leroy

■ Julien devient passeur. Vitrail de la cathédrale Notre-Dame de Rouen (détail).

Une nuit qu'il dormait, il crut entendre quelqu'un l'appeler. Il tendit l'oreille et ne distingua que le mugissement des flots.

Mais la même voix reprit :

« Julien ! »

Elle venait de l'autre bord, ce qui lui parut extraordinaire, vu la largeur du fleuve.

Une troisième fois on appela :

« Julien ! »

Et cette voix haute avait l'intonation d'une cloche d'église.

Ayant allumé sa lanterne, il sortit de la cahute. Un ouragan furieux emplissait la nuit. Les ténèbres étaient profondes, et çà et là déchirées par la blancheur des vagues qui bondissaient.

Après une minute d'hésitation, Julien dénoua l'amarre. L'eau, tout de suite, devint tranquille, la barque glissa dessus et toucha l'autre berge, où un homme attendait.

Il était enveloppé d'une toile en lambeaux, la figure pareille à un masque de plâtre et les deux yeux plus rouges que des charbons. En approchant de lui la lanterne, Julien s'aperçut qu'une lèpre[1] hideuse le recouvrait ; cependant, il avait dans son attitude comme une majesté de roi.

Dès qu'il entra dans la barque, elle enfonça prodigieusement, écrasée par son poids ; une secousse la remonta ; et Julien se mit à ramer.

À chaque coup d'aviron, le ressac[2] des flots la soulevait par l'avant. L'eau, plus noire que de l'encre, courait avec furie des deux côtés du bordage[3]. Elle creusait des abîmes, elle faisait des montagnes, et la chaloupe sautait dessus, puis redescendait dans des profondeurs où elle tournoyait, ballottée par le vent.

Julien penchait son corps, dépliait les bras, et, s'arc-boutant des pieds, se renversait avec une torsion de la taille, pour avoir

---

1. ***Lèpre*** : maladie de peau hautement contagieuse.
2. ***Ressac*** : retour des vagues sur elles-mêmes.
3. ***Bordage*** : bord d'un bateau.

plus de force. La grêle cinglait ses mains, la pluie coulait dans son dos, la violence de l'air l'étouffait, il s'arrêta. Alors le bateau fut emporté à la dérive. Mais, comprenant qu'il s'agissait d'une chose considérable, d'un ordre auquel il ne fallait pas désobéir, il
140 reprit ses avirons ; et le claquement des tolets[1] coupait la clameur de la tempête.

La petite lanterne brûlait devant lui. Des oiseaux, en voletant, la cachaient par intervalles. Mais toujours il apercevait les prunelles du lépreux qui se tenait debout à l'arrière, immobile comme
145 une colonne.

Et cela dura longtemps, très longtemps !

Quand ils furent arrivés dans la cahute, Julien ferma la porte ; et il le vit siégeant sur l'escabeau. L'espèce de linceul[2] qui le recouvrait était tombé jusqu'à ses hanches ; et ses épaules, sa poi-
150 trine, ses bras maigres disparaissaient sous des plaques de pustules écailleuses. Des rides énormes labouraient son front. Tel qu'un squelette, il avait un trou à la place du nez ; et ses lèvres bleuâtres dégageaient une haleine épaisse comme un brouillard et nauséabonde.

155 « J'ai faim ! » dit-il.

Julien lui donna ce qu'il possédait, un vieux quartier de lard et les croûtes d'un pain noir.

Quand il les eut dévorés, la table, l'écuelle et le manche du couteau portaient les mêmes taches que l'on voyait sur son corps.

160 Ensuite, il dit :

« J'ai soif ! »

Julien alla chercher sa cruche ; et, comme il la prenait, il en sortit un arôme qui dilata son cœur et ses narines. C'était du vin ; quelle trouvaille ! mais le lépreux avança le bras et d'un trait vida
165 toute la cruche.

Puis il dit :

1. ***Tolets*** : pièces de métal dans lesquelles s'encastre l'aviron.
2. ***Linceul*** : pièce de toile dans laquelle on enterre un mort.

« J'ai froid ! »

Julien, avec sa chandelle, enflamma un paquet de fougères, au milieu de la cabane.

170 Le lépreux vint s'y chauffer ; et, accroupi sur les talons, il tremblait de tous ses membres, s'affaiblissait ; ses yeux ne brillaient plus, ses ulcères [1] coulaient, et, d'une voix presque éteinte, il murmura :

« Ton lit ! »

175 Julien l'aida doucement à s'y traîner, et même étendit sur lui, pour le couvrir, la toile de son bateau.

Le lépreux gémissait. Les coins de sa bouche découvraient ses dents, un râle accéléré lui secouait la poitrine, et son ventre, à chacune de ses aspirations, se creusait jusqu'aux vertèbres.

180 Puis il ferma les paupières.

« C'est comme de la glace dans mes os ! Viens près de moi ! »

Et Julien, écartant la toile, se coucha sur les feuilles mortes, près de lui, côte à côte.

Le lépreux tourna la tête.

185 « Déshabille-toi, pour que j'aie la chaleur de ton corps ! »

Julien ôta ses vêtements ; puis, nu comme au jour de sa naissance, se replaça dans le lit ; et il sentait contre sa cuisse la peau du lépreux, plus froide qu'un serpent et rude comme une lime.

Il tâchait de l'encourager ; et l'autre répondait, en haletant :

190 « Ah ! je vais mourir !... Rapproche-toi, réchauffe-moi ! Pas avec les mains ! non ! toute ta personne. »

Julien s'étala dessus complètement, bouche contre bouche, poitrine sur poitrine.

Alors le lépreux l'étreignit ; et ses yeux tout à coup prirent une 195 clarté d'étoiles ; ses cheveux s'allongèrent comme les rais du soleil ; le souffle de ses narines avait la douceur des roses ; un nuage d'encens s'éleva du foyer, les flots chantaient. Cependant une

---

1. ***Ulcères*** : plaies infectées.

abondance de délices, une joie surhumaine descendait comme une inondation dans l'âme de Julien pâmé [1] ; et celui dont les bras le serraient toujours grandissait, grandissait, touchant de sa tête et de ses pieds les deux murs de la cabane. Le toit s'envola, le firmament se déployait ; – et Julien monta vers les espaces bleus, face à face avec Notre-Seigneur Jésus, qui l'emportait dans le ciel.

Et voilà l'histoire de saint Julien l'Hospitalier, telle à peu près qu'on la trouve, sur un vitrail d'église, dans mon pays.

1. ***Pâmé*** : en extase.

Le « vitrail aux poissons »

Flaubert a expliqué lui-même comment il s'était en partie inspiré pour écrire *La Légende de saint Julien l'Hospitalier* d'un vitrail de la cathédrale Notre-Dame de Rouen. Ce vitrail, dit également « vitrail aux poissons », date du XIIIe siècle et mesure près de 9 m de haut. Il rapporte la vie de saint Julien et se lit de gauche à droite, comme une bande dessinée, mais de bas en haut.

Nous reproduisons aux pages suivantes un dessin d'ensemble du vitrail réalisé au XIXe siècle et sur lequel apparaissent les différents épisodes du récit[1].

Dans la partie inférieure (p. 64) figurent, en bas, les poissonniers, donateurs du vitrail, puis des scènes de l'enfance de Julien avec ses parents et son départ pour la guerre (voir détail p. 39).

La partie médiane (p. 65) montre l'arrivée des parents de Julien au château, accueillis par sa femme, puis Julien qui tue ses parents (voir détail p. 51) et devient passeur au bord du fleuve (voir détail p. 58).

Aux registres supérieurs enfin (p. 66), Julien résiste aux assauts du diable, jusqu'à ce que son âme soit emportée vers le Christ par deux anges.

---

1. Dessin de Mlle Espérance Langlois E. H. Langlois – Rouen, E. Frère, 1832. Bibliothèque nationale de France, Paris.

DOSSIER

- Au fil du texte
- Le Moyen Âge
- Anthropomorphismes
- Sacrifices humains
- Un enfant prédestiné
- Présence du surnaturel
- Aux sources du texte

Au fil du texte

Complétez le tableau en cochant les colonnes VRAI ou FAUX et en notant à quelle page vous avez trouvé l'indication justifiant votre réponse ; si vous répondez FAUX, corrigez l'affirmation erronée.

Affirmation	Vrai	Faux	Page	Correction
Les parents de Julien sont des seigneurs féodaux				
La mère de Julien reçoit la visite nocturne d'un Bohémien				
Julien a pour précepteur un vieux moine très savant				
Le premier animal que tue Julien est un oisillon				
Le père de Julien lui offre une meute				
La première chasse débute un matin d'hiver				
Pendant la prédiction du cerf, le tonnerre gronde				
Julien blesse gravement sa mère avant de s'enfuir				
Après avoir quitté le château de ses parents, Julien devient mercenaire				

Affirmation	Vrai	Faux	Page	Correction
Julien épouse la sœur du calife de Cordoue				
La seconde chasse débute un soir d'été				
Les parents de Julien font halte par hasard au palais de leur fils				
Au moment où il tue ses parents, Julien entend un cerf				
Après le meurtre, Julien renonce à tous ses biens terrestres				
Un vieux moine lui propose de devenir passeur près d'un fleuve				
Les voyageurs que Julien transporte lui témoignent de la pitié				
Le lépreux se tient debout dans la tempête				
Le lépreux se retrouve chez Julien sans que celui-ci l'ait vu entrer				
Julien évite de toucher le lépreux par crainte de la contagion				
Le lépreux était Jésus venu emporter Julien au Paradis				

Le Moyen Âge

Mots d'autrefois

Voici une liste de termes présents dans le texte et renvoyant à un contexte médiéval. Déterminez trois champs lexicaux permettant de les classer.

> Béguin – braquemart – cotte de mailles – destrier – écuyer – escarcelle – hennin – javeline – manant – masse d'armes – page – pelisse – rondache – salle d'armes – seigneur – templier – vassal.

Laissez courre les chiens…

Le mot « courre » voulait dire en ancien français « courir ». Ainsi la chasse à courre désigne-t-elle une chasse durant laquelle chiens et cavaliers poursuivent le gibier à la course jusqu'à épuisement. Du point de vue de la conjugaison, le verbe « courre » n'existe qu'à l'infinitif : c'est ce que l'on appelle un **verbe défectif**, autrement dit un verbe qui ne peut se conjuguer à tous les temps et à toutes les personnes. Quelles sont les formes existantes des verbes défectifs suivants ?

Béer : ....
Chaloir : ....
Choir : ....
Férir : ....
Gésir : ....
Issir : ....
Occire : ....
Ouïr : ....
Quérir : ....
Seoir : ....

Architecture médiévale

Sauriez-vous replacer sur le dessin de la page suivante les éléments suivants au bon endroit ?

(A) chemin de ronde
(B) courtine
(C) créneau
(D) donjon
(E) douve
(F) échauguette
(G) herse
(H) meurtrière
(I) pont-levis
(J) poterne
(K) tour

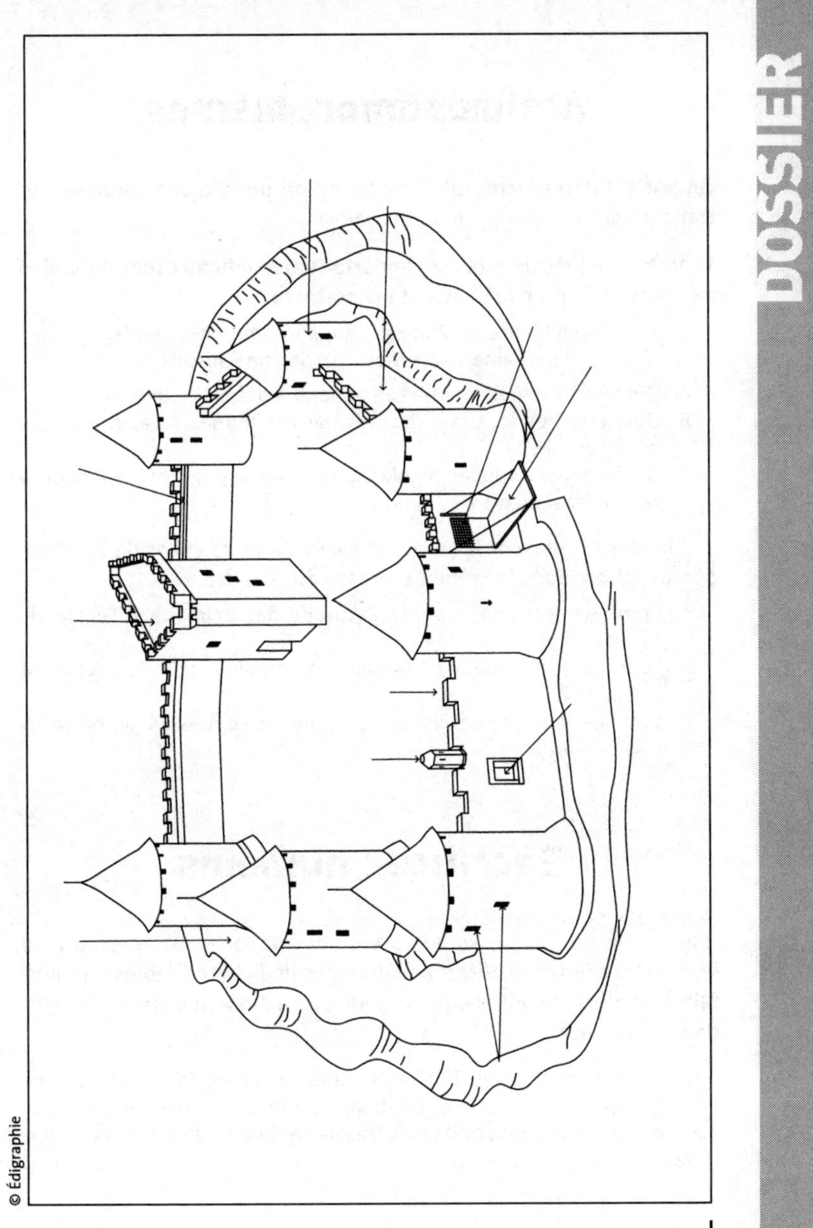

Anthropomorphismes

On parle d'anthropomorphisme quand on prête à des animaux des traits ou des comportements humains.

1. Voici une liste de mots se rapportant aux animaux tués par Julien au cours de la grande chasse du chapitre I :

tremblantes – douceur – supplication – déchirante
humaine – solennel – patriarche – justicier

A. Ces termes s'appliquent-ils en général à des animaux ?
B. Quel effet les attitudes décrites par ces termes auraient-elles dû avoir sur Julien ?
C. Quelle sanction Julien reçoit-il pour n'avoir pas prêté attention à ces avertissements ?

2. Cherchez à présent les mots et expressions relevant de l'anthropomorphisme dans la scène de chasse du chapitre II :

A. Comment peut-on qualifier l'attitude des animaux à l'égard de Julien ?
B. Pourquoi les animaux ne le tuent-ils pas, alors qu'ils le pourraient aisément ?
C. Lors des deux chasses, de qui les animaux sont-ils en définitive les instruments ?

Sacrifices humains

Julien n'hésite pas à risquer sa vie pour apporter du réconfort au lépreux agonisant. D'autres personnages de fiction célèbres ont ainsi fait le sacrifice de leur vie par amour, conviction ou charité : essayez de les retrouver.

1. Dans le roman auquel Balzac a donné mon nom, je me dépouille de tout pour que mes filles Delphine et Anastasie – deux ingrates qui me laisseront mourir dans la misère ! – fassent de riches mariages.

Je suis ....

2. Victor Hugo m'a créée. Prostituée par nécessité, je me fais arracher les dents afin de les vendre et de pouvoir nourrir ma fille Cosette.

Je suis ....

3. Par amour pour Eurydice morte trop tôt, je descends aux Enfers armé de ma seule lyre. Hélas ! un regard en arrière anéantira mes espoirs.

Je suis ....

4. Entouré de quelques compagnons, je défends le défilé de Roncevaux contre des milliers d'ennemis afin de permettre à Charlemagne de regagner la France en sécurité.

Je suis ....

Un enfant prédestiné

Comme beaucoup de héros légendaires, Julien a une naissance extraordinaire, accompagnée de prédictions qui se réaliseront au cours de sa vie. Cherchez quels événements ou présages accompagnent la venue au monde de personnages aussi différents que :

1. La Belle au Bois dormant
2. Hercule
3. Œdipe
4. Kirikou
5. Le Petit Poucet

Comment s'appellent les deux types de récit dont ces personnages sont les héros ?

Présence du surnaturel

Le critique Tzvetan Todorov, dans son *Introduction à la littérature fantastique*, définit trois catégories d'intrigues :

• L'étrange : « On relate des événements qui peuvent parfaitement s'expliquer par les lois de la raison, mais qui sont, d'une manière ou d'une autre, incroyables, extraordinaires [...] »
• Le fantastique : « Hésitation éprouvée par un être qui ne connaît que les lois naturelles, face à un événement en apparence surnaturel. »
• Le merveilleux : « Les éléments surnaturels ne provoquent aucune réaction particulière ni chez les personnages, ni chez le lecteur. »

Les faits suivants, tirés du texte, appartiennent-ils à l'étrange, au fantastique ou au merveilleux ?

1. l'apparition hebdomadaire de la souris à la messe
2. le bramement du cerf au moment de l'assassinat des parents
3. la métamorphose du lépreux et la mort de Julien
4. la venue des parents en l'absence de Julien
5. la prédiction du cerf

Aux sources du texte

Au XIIIe siècle, un moine dominicain, Jacques de Voragine, écrit l'histoire des principaux saints et martyrs chrétiens : c'est en partie de ce livre, intitulé *La Légende dorée*, que Flaubert s'est inspiré pour écrire *La Légende de saint Julien l'Hospitalier*. Voici, dans son intégralité, le texte de Jacques de Voragine.

Jacques de Voragine, *La Légende dorée*

On trouve encore un autre Julien qui tua son père et sa mère sans le savoir. Un jour, ce jeune noble prenait le plaisir de la chasse et poursuivait un cerf qu'il avait fait lever, quand tout à coup le cerf se tourna vers lui miraculeusement et lui dit : « Tu me poursuis, toi qui tueras ton père et ta mère ? » Quand Julien eut entendu cela, il fut étrangement saisi, et dans la crainte que tel malheur prédit par la cerf lui arrivât, il s'en alla sans prévenir personne, et se retira dans un pays fort éloigné, où il se mit au service d'un prince ; il se comporta si honorablement partout, à la guerre comme à la cour, que le prince le fit son lieutenant et le maria à une châtelaine veuve, en lui donnant un château pour dot. Cependant, les parents de Julien, tourmentés par la perte de leur fils, se mirent à sa recherche en parcourant avec soin les lieux où ils avaient l'espoir de le trouver. Enfin ils arrivèrent au château dont Julien était le seigneur : pour lors saint Julien se trouvait absent. Quand sa femme les vit et leur eut demandé qui ils étaient, et qu'ils eurent raconté tout ce qui était arrivé à leur fils, elle reconnut que c'était le père et la mère de son époux, parce qu'elle l'avait entendu souvent lui raconter son histoire. Elle les reçut donc avec bonté, et pour l'amour de son mari, elle leur donne son lit et prend pour elle une autre chambre. Le matin arrivé, la châtelaine alla à l'église ; pendant ce temps, arriva Julien qui entra dans sa chambre à coucher comme pour éveiller sa femme ; mais trouvant deux personnes endormies, il suppose que c'est sa femme avec un adultère, tire son épée sans faire de bruit et les tue l'un et l'autre ensemble. En sortant de chez soi, il voit son épouse revenir de l'église ; plein de surprise, il lui demande qui sont ceux qui étaient couchés dans son lit : « Ce sont, répond-elle, votre père et votre mère qui vous ont cherché bien longtemps et que j'ai fait mettre en votre chambre. » En entendant cela, il resta à demi mort, se mit à verser des larmes très amères et à dire : « Ah ! malheureux ! Que ferai-je ? J'ai tué mes bien-aimés parents. La voici accomplie, cette parole du cerf ; en voulant éviter le plus affreux des malheurs, je l'ai accompli. Adieu donc, ma chère sœur, je ne me reposerai désormais que je n'aie su que Dieu a accepté ma pénitence. » Elle répondit : « Il ne sera pas dit, très cher frère, que je te quitterai ; mais si j'ai partagé tes plaisirs, je partagerai aussi ta douleur. » Alors, ils se retirèrent tous les deux sur les bords d'un grand fleuve, où plusieurs perdaient la vie, ils y établirent un grand hôpital où ils pourraient faire pénitence ; sans cesse occupés à faire passer la rivière à ceux qui se présentaient, et à recevoir tous les pauvres. Longtemps après, vers minuit, pendant que Julien se reposait de ses fatigues et qu'il y avait grande gelée, il entendit une voix qui se lamentait pitoyablement et priait Julien de façon lugubre, de le vouloir passer. À peine l'eut-il entendu qu'il se leva de suite, et il ramena dans sa maison un homme qu'il avait trouvé mourant de froid ; il alluma le feu et s'efforça de le réchauffer, comme il ne pouvait réussir, dans la crainte qu'il ne vînt à mourir, il le porta dans son petit lit et le couvrit soigneusement. Quelques instants après, celui qui paraissait si malade et comme couvert de lèpre se lève blanc comme neige vers le ciel, et dit à son hôte : « Julien, le Seigneur m'a envoyé pour vous dire qu'il a accepté votre pénitence et que dans peu de temps tous deux vous reposerez dans le Seigneur. » Alors il disparut, et peu de temps après Julien mourut dans la Seigneur avec sa femme, plein de bonnes œuvres et d'aumônes.

1. Qu'apprend-on sur l'enfance et l'éducation de Julien ?
Que sait-on des lieux où se déroule l'histoire ?
Que sait-on des parents de Julien ?
Pour quelle raison Julien est-il absent lors de la venue des ses parents ?
Conclusion : Jacques de Voragine cherche-t-il à faire de Julien un personnage possédant une histoire et une personnalité ?

2. Qui est la femme de Julien ?
Quelle est son attitude vis-à-vis des parents de Julien ?
Pour quelle raison décide-t-elle de suivre Julien ? De quelle phrase rituellement prononcée lors des mariages chrétiens cette décision est-elle l'application ?
Pourquoi Julien et sa femme s'appellent-ils « frère » et « sœur » après avoir décidé de faire pénitence commune ?
Conclusion : de quelle valeurs chrétiennes le femme de Julien est-elle porteuse dans ce texte ?

3. Quel miracle s'accomplit avec le lépreux ?
Qui est ce lépreux ? À quel autre personnage du texte fait-il écho ? Cherchez dans *Les Métamorphoses*[1] de l'écrivain latin Ovide qui étaient Philémon et Baucis : en quoi leur histoire est-elle proche de celle de Jacques de Voragine ? Celui-ci a-t-il pour autant plagié Ovide ?
Conclusion : en comparant Voragine et Flaubert, expliquez ce que ce dernier a repris, ce qu'il a laissé de côté et ce qu'il a ajouté.

En 1841, Victor Hugo publie dans *Le Rhin* un récit intitulé *La Légende du beau Pécopin et de la belle Bauldour*. Tout comme *La Légende dorée*, ce récit fait partie de la documentation dont Flaubert affirme s'être servi avant d'écrire *La Légende de saint Julien l'Hospitalier* : dans une lettre, il précise même ne pas craindre la ressemblance entre son texte et celui de Hugo. Voici un extrait de la nouvelle de Victor Hugo : le héros, Pécopin, est un jeune noble passionné de chasse qui vient d'accepter de participer à une chasse à courre avec un mystérieux vieillard, sans se douter que celui-ci n'est autre que le diable...

Victor Hugo, *La Légende du beau Pécopin et de la belle Bauldour*

Au bruit de ce cor, le forêt s'éclaira dans ses profondeurs de mille lueurs extraordinaires, des ombres passèrent dans les futaies, des voix lointaines crièrent : « En chasse ! » La meute aboya, les chevaux reniflèrent et les arbres frissonnèrent comme par un grand vent.

En ce moment-là une cloche fêlée, qui semblait bêler dans les ténèbres, sonna minuit.

Au douzième coup le vieux seigneur emboucha son cor d'ivoire une seconde fois, les valets délièrent la meute, les chiens lâchés partirent comme la poignée de pierres que lance la baliste, les cris et les hurlements redoublèrent, et tous les chasseurs, et tous les piqueurs, et tous les veneurs, et le vieillard, et Pécopin s'élancèrent au galop.

---

1. Ovide, *Les Métamorphoses*, GF-Flammarion, « Étonnants Classiques » n° 92, 2006, p. 75.

Galop rude, violent, rapide, étincelant, vertigineux, surnaturel, qui saisit Pécopin, qui l'entraîna, qui l'emporta, qui faisait résonner dans son cerveau tous les pas du cheval comme si son crâne eût été le pavé du chemin, qui l'éblouissait comme un éclair, qui l'enivrait comme une orgie, qui l'exaspérait comme une bataille ; galop qui par moments devenait tourbillon, tourbillon qui parfois devenait ouragan.

La forêt était immense, les chasseurs étaient innombrables, les clairières succédaient aux clairières, le vent se lamentait, les broussailles sifflaient, les chiens aboyaient, la colossale silhouette noire d'un énorme cerf à seize andouillers apparaissait par instants à travers les branchages et fuyait dans les pénombres et dans les clartés, le cheval de Pécopin soufflait d'une façon terrible, les arbres se penchaient pour voir passer cette chasse et se renversaient en arrière après l'avoir vue, des fanfares épouvantables éclataient par intervalles, puis elles se taisaient tout à coup, et l'on entendait au loin le cor du vieux chasseur.

Pécopin ne savait où il était. En galopant près d'une ruine ombragée de sapins, parmi lesquels une cascade se précipitait du haut d'un grand mur de porphyre, il crut retrouver le château de Nideck. Puis il vit courir rapidement à sa gauche des montagnes qui lui parurent être les basses Vosges ; il reconnut successivement à la forme de leurs quatre sommets le Ban de la Roche, le Champ du Feu, le Climont et l'Ungersberg. Un moment après il était dans les hautes Vosges. En moins d'un quart d'heure son cheval eut traversé le Giromagny, le Rotabac, le Sultz, le Barenkopf, le Graisson, le Bressoir, le Haut de Honce, le mont de Lure, la Tête de l'Ours, le grand Donon et le grand Ventron. Ces vastes cimes lui apparaissaient pêle-mêle dans les ténèbres, sans ordre et sans lien ; on eût dit qu'un géant avait bouleversé la grande chaîne d'Alsace.

1. Cherchez dans l'extrait ci-dessus deux détails présentant des ressemblances évidentes avec la première scène de chasse de Julien.

2. Examinez la phrase qui constitue le quatrième paragraphe (« Galop... ouragan ») : quel effet produit-elle sur le lecteur ? Quelles particularités grammaticales comporte-t-elle ? En quoi ces particularités contribuent-elles à créer l'effet voulu par l'auteur ?

3. Comme Julien, Pécopin est désorienté : relevez dans le dernier paragraphe cinq verbes indiquant ce qu'il perçoit ou ressent. Ces verbes traduisent-ils des doutes ou des certitudes ?

4. Montrez, en repérant certains verbes, que la nature est personnifiée dans ce texte.

5. Quelle explication le narrateur semble-t-il donner aux incohérences géographiques constatées par Pécopin ?

6. Lors de ses deux scènes de chasse, Julien était manipulé par Dieu : ici, comment peut-on qualifier les forces qui agissent sur Pécopin ?

Notes et citations

Notes et citations

Notes et citations

Notes et citations

Les classiques et les contemporains dans la même collection

ALAIN-FOURNIER
Le Grand Meaulnes

ANDERSEN
La Petite Fille et les allumettes et autres contes

ANOUILH
La Grotte

APULÉE
Amour et Psyché

ASIMOV
Le Club des Veufs noirs

AUCASSIN ET NICOLETTE

BALZAC
Le Bal de Sceaux
Le Chef-d'œuvre inconnu
Le Colonel Chabert
Ferragus
Le Père Goriot
La Vendetta

BARBEY D'AUREVILLY
Les Diaboliques – Le Rideau cramoisi, Le Bonheur dans le crime

BARRIE
Peter Pan

BAUDELAIRE
Les Fleurs du mal – *Nouvelle édition*

BAUM (L. FRANK)
Le Magicien d'Oz

BEAUMARCHAIS
Le Mariage de Figaro

BELLAY (DU)
Les Regrets

LA BELLE ET LA BÊTE ET AUTRES CONTES

BERBEROVA
L'Accompagnatrice

BERNARDIN DE SAINT-PIERRE
Paul et Virginie

LA BIBLE
Histoire d'Abraham
Histoire de Moïse

BOVE
Le Crime d'une nuit. Le Retour de l'enfant

BRADBURY
L'Homme brûlant et autres nouvelles

CARRIÈRE (JEAN-CLAUDE)
La Controverse de Valladolid

CARROLL
Alice au pays des merveilles

CERVANTÈS
Don Quichotte

CHAMISSO
L'Étrange Histoire de Peter Schlemihl

LA CHANSON DE ROLAND

CATHRINE (ARNAUD)
Les Yeux secs

CHATEAUBRIAND
Mémoires d'outre-tombe

CHEDID (ANDRÉE)
L'Enfant des manèges et autres nouvelles
Le Message
Le Sixième Jour

CHRÉTIEN DE TROYES
Lancelot ou le Chevalier de la charrette
Perceval ou le Conte du graal
Yvain ou le Chevalier au lion

CLAUDEL (PHILIPPE)
Les Confidents et autres nouvelles

COLETTE
Le Blé en herbe

COLIN (FABRICE)
Projet oXatan

COLLODI
Pinocchio

CORNEILLE
Le Cid – *Nouvelle édition*

DAUDET
Aventures prodigieuses de Tartarin de Tarascon
Lettres de mon moulin

DEFOE
Robinson Crusoé

DIDEROT
Entretien d'un père avec ses enfants

Jacques le Fataliste
Le Neveu de Rameau
Supplément au Voyage de Bougainville

DOYLE
Trois Aventures de Sherlock Holmes

DUMAS
Le Comte de Monte-Cristo
Pauline
Robin des Bois
Les Trois Mousquetaires, t. 1 et 2

FABLIAUX DU MOYEN ÂGE
LA FARCE DE MAÎTRE PATHELIN
LA FARCE DU CUVIER ET AUTRES FARCES DU MOYEN ÂGE

FENWICK (JEAN-NOËL)
Les Palmes de M. Schutz

FERNEY (ALICE)
Grâce et Dénuement

FEYDEAU
Un fil à la patte

FEYDEAU-LABICHE
Deux courtes pièces autour du mariage

FLAUBERT
La Légende de saint Julien l'Hospitalier
Un cœur simple

GARCIN (CHRISTIAN)
Vies volées

GAUTIER
Le Capitaine Fracasse
La Morte amoureuse. La Cafetière et autres nouvelles

GOGOL
Le Nez. Le Manteau

GRAFFIGNY (MME DE)
Lettres d'une péruvienne

GRIMM
Le Petit Chaperon rouge et autres contes

GRUMBERG (JEAN-CLAUDE)
L'Atelier
Zone libre

HIGGINS (COLIN)
Harold et Maude – *Adaptation de Jean-Claude Carrière*

HOBB (ROBIN)
Retour au pays

HOFFMANN
L'Enfant étranger
L'Homme au Sable
Le Violon de Crémone. Les Mines de Falun

HOLDER (ÉRIC)
Mademoiselle Chambon

HOMÈRE
Les Aventures extraordinaires d'Ulysse
L'Iliade
L'Odyssée

HUGO
Claude Gueux
L'Intervention *suivie de* La Grand'mère
Le Dernier Jour d'un condamné
Les Misérables – *Nouvelle édition*
Notre-Dame de Paris
Quatrevingt-treize
Le roi s'amuse
Ruy Blas

JAMES
Le Tour d'écrou

JARRY
Ubu Roi

JONQUET (THIERRY)
La Vigie

KAFKA
La Métamorphose

KAPUŚCIŃSKI
Autoportrait d'un reporter

KRESSMANN TAYLOR
Inconnu à cette adresse

LABICHE
Un chapeau de paille d'Italie

LA BRUYÈRE
Les Caractères

LEBLANC
L'Aiguille creuse

LONDON (JACK)
L'Appel de la forêt

MME DE LAFAYETTE
La Princesse de Clèves

LA FONTAINE
Le Corbeau et le Renard et autres fables – *Nouvelle édition des* Fables, *collège*
Fables, *lycée*

LANGELAAN (GEORGE)
La Mouche. Temps mort

LAROUI (FOUAD)
L'Oued et le Consul et autres nouvelles

LE FANU (SHERIDAN)
Carmilla

LEROUX
Le Mystère de la Chambre Jaune
Le Parfum de la dame en noir

LOTI
Le Roman d'un enfant

MARIVAUX
La Double Inconstance
L'Île des esclaves
Le Jeu de l'amour et du hasard

MATHESON (RICHARD)
Au bord du précipice et autres nouvelles
Enfer sur mesure et autres nouvelles

MAUPASSANT
Bel-Ami
Boule de suif
Le Horla et autres contes fantastiques
Le Papa de Simon et autres nouvelles
La Parure et autres scènes de la vie parisienne
Toine et autres contes normands
Une partie de campagne et autres nouvelles au bord de l'eau

MÉRIMÉE
Carmen
Mateo Falcone. Tamango
La Vénus d'Ille – *Nouvelle édition*

MIANO (LÉONORA)
Afropean Soul et autres nouvelles

LES MILLE ET UNE NUITS
Ali Baba et les quarante voleurs
Le Pêcheur et le Génie. Histoire de Ganem
Sindbad le marin

MOLIÈRE
L'Amour médecin. Le Sicilien ou l'Amour peintre
L'Avare – *Nouvelle édition*
Le Bourgeois gentilhomme – *Nouvelle édition*
Dom Juan
L'École des femmes
Les Femmes savantes
Les Fourberies de Scapin – *Nouvelle édition*
George Dandin
Le Malade imaginaire – *Nouvelle édition*
Le Médecin malgré lui
Le Médecin volant. La Jalousie du Barbouillé
Le Misanthrope
Les Précieuses ridicules
Le Tartuffe

MONTAIGNE
Essais

MONTESQUIEU
Lettres persanes

MUSSET
Il faut qu'une porte soit ouverte ou fermée. Un caprice
On ne badine pas avec l'amour

OVIDE
Les Métamorphoses

PASCAL
Pensées

PERRAULT
Contes – *Nouvelle édition*

PIRANDELLO
Donna Mimma et autres nouvelles
Six Personnages en quête d'auteur

POE
Le Chat noir et autres contes fantastiques
Double Assassinat dans la rue Morgue. La Lettre volée

POUCHKINE
La Dame de pique et autres nouvelles

PRÉVOST
Manon Lescaut

PROUST
Combray

RABELAIS
Gargantua
Pantagruel

RACINE
Phèdre
Andromaque

RADIGUET
Le Diable au corps

RÉCITS DE VOYAGE
Le Nouveau Monde (Jean de Léry)
Les Merveilles de l'Orient (Marco Polo)

RENARD
Poil de Carotte

RIMBAUD
Poésies

ROBERT DE BORON
Merlin

ROMAINS
L'Enfant de bonne volonté

LE ROMAN DE RENART – *Nouvelle édition*

ROSTAND
Cyrano de Bergerac

ROUSSEAU
Les Confessions

SALM (CONSTANCE DE)
Vingt-quatre heures d'une femme sensible

SAND
Les Ailes de courage
Le Géant Yéous

SAUMONT (ANNIE)
Aldo, mon ami et autres nouvelles
La guerre est déclarée et autres nouvelles

SCHNITZLER
Mademoiselle Else

SÉVIGNÉ (MME DE)
Lettres

SHAKESPEARE
Macbeth
Roméo et Juliette

SHELLEY (MARY)
Frankenstein

STENDHAL
L'Abbesse de Castro
Vanina Vanini. Le Coffre et le Revenant

STEVENSON
Le Cas étrange du Dr Jekyll et de M. Hyde
L'Île au trésor

STOKER
Dracula

SWIFT
Voyage à Lilliput

TCHÉKHOV
La Mouette
Une demande en mariage et autres pièces en un acte

TITE-LIVE
La Fondation de Rome

TOURGUÉNIEV
Premier Amour

TRISTAN ET ISEUT

TROYAT (HENRI)
Aliocha

VALLÈS
L'Enfant

VERLAINE
Fêtes galantes, Romances sans paroles *précédé de* Poèmes saturniens

VERNE
Le Tour du monde en 80 jours
Un hivernage dans les glaces

VILLIERS DE L'ISLE-ADAM
Véra et autres nouvelles fantastiques

VIRGILE
L'Énéide

VOLTAIRE
Candide – *Nouvelle édition*
L'Ingénu
Jeannot et Colin. Le monde comme il va
Micromégas
Zadig – *Nouvelle édition*

WESTLAKE (DONALD)
Le Couperet

WILDE
Le Fantôme de Canterville et autres nouvelles

ZOLA
Comment on meurt
Germinal
Jacques Damour
Thérèse Raquin

ZWEIG
Le Joueur d'échecs

Les anthologies dans la même collection

AU NOM DE LA LIBERTÉ
Poèmes de la Résistance

L'AUTOBIOGRAPHIE
BAROQUE ET CLASSICISME
LA BIOGRAPHIE
BROUILLONS D'ÉCRIVAINS
Du manuscrit à l'œuvre

« C'EST À CE PRIX QUE VOUS MANGEZ DU SUCRE... » Les discours sur l'esclavage d'Aristote à Césaire

CETTE PART DE RÊVE QUE CHACUN PORTE EN SOI
CEUX DE VERDUN
Les écrivains et la Grande Guerre

LES CHEVALIERS DU MOYEN ÂGE
CONTES DE SORCIÈRES

CONTES DE VAMPIRES

LE CRIME N'EST JAMAIS PARFAIT
Nouvelles policières 1

DE L'ÉDUCATION
Apprendre et transmettre de Rabelais à Pennac

LE DÉTOUR

FAIRE VOIR : QUOI, COMMENT, POUR QUOI ?

FÉES, OGRES ET LUTINS
Contes merveilleux 2

LA FÊTE
GÉNÉRATION(S)

LES GRANDES HEURES DE ROME
L'HUMANISME ET LA RENAISSANCE
IL ÉTAIT UNE FOIS
Contes merveilleux 1

LES LUMIÈRES
LES MÉTAMORPHOSES D'ULYSSE
Réécritures de L'*Odyssée*

MONSTRES ET CHIMÈRES
MYTHES ET DIEUX DE L'OLYMPE
NOIRE SÉRIE...
Nouvelles policières 2

NOUVELLES DE FANTASY 1

NOUVELLES FANTASTIQUES 1
Comment Wang-Fô fut sauvé et autres récits

NOUVELLES FANTASTIQUES 2
Je suis d'ailleurs et autres récits

ON N'EST PAS SÉRIEUX QUAND ON A QUINZE ANS Adolescence et littérature

PAROLES DE LA SHOAH
PAROLES, ÉCHANGES, CONVERSATIONS ET RÉVOLUTION NUMÉRIQUE
LA PEINE DE MORT
De Voltaire à Badinter

POÈMES DE LA RENAISSANCE
POÉSIE ET LYRISME
LE PORTRAIT
RACONTER, SÉDUIRE, CONVAINCRE
Lettres des XVIIe et XVIIIe siècles

RÉALISME ET NATURALISME
RÉCITS POUR AUJOURD'HUI
17 fables et apologues contemporains

RIRE : POUR QUOI FAIRE ?

RISQUE ET PROGRÈS
ROBINSONNADES
De Defoe à Tournier

LE ROMANTISME
SCÈNES DE LA VIE CONJUGALE
Le couple au théâtre, de Shakespeare à Yasmina Reza

LE SURRÉALISME
LA TÉLÉ NOUS REND FOUS !

LES TEXTES FONDATEURS
TROIS CONTES PHILOSOPHIQUES
Diderot, Saint-Lambert, Voltaire

TROIS NOUVELLES NATURALISTES
Huysmans, Maupassant, Zola

VIVRE AU TEMPS DES ROMAINS
VOYAGES EN BOHÈME
Baudelaire, Rimbaud, Verlaine

Création maquette intérieure :
Sarbacane Design.

Composition : IGS-CP.
N° d'édition : L.01EHRNFG2274.C005
Dépôt légal : août 2006
Imprimé en Espagne par Novoprint (Barcelone)